新 潮 文 庫

新約聖書を知っていますか

阿刀田 高 著

新 潮 社 版

5811

目次

新約聖書を知っていますか

1 受胎告知

「階段が逆Lの字型についているのよ。だから踊り場まで行って、そこでパッと右上を見るのね。いい？　だれもいないときにね」

と、Kさんは言っていた。

Kさんとは格別親しい間柄《あいだがら》ではなかったけれど、この言葉だけが奇妙なほど鮮明に私の心に残っていた。

あれから十数年、フィレンツェの朝は小雨にけぶっていた。サン・マルコ広場に一台、二台と観光バスが走り寄って来る。ほとんどの観光客が、すぐ近くにあるアカデミア美術館へと向かう。ミケランジェロ作の有名なダビデ像のあるところだ。

だが、私は反対の方角に道をとり、サン・マルコ修道院の博物館へと急いだ。入館券を買い求め、逆Lの字型の階段。その踊り場に立って右上を見る……。それがフラ・アンジェリコの名作〈受胎告知〉を眺《なが》める一番正しい鑑賞法だと教えられていたからである。

館内には人影も疎《まば》らだった。階段にはだれもいなかった。私はついていたのだろう。

――なるほどね――

そこに畳一枚より少し大きい壁画がひっそりと描かれていた。たしかにこの距離感、この仰角がつきづきしい。

図柄はよく知っている。さまざまな画集に載っている。世界的な名画の一つである。まったくの話、私はこの図柄のテレフォン・カードまで持っている。

右手に濃紺の衣裳《いしょう》を着たマリア。左手に淡いピンクの衣裳をまとった天使ガブリエル。天使は虹《にじ》のように鮮かな、縞模様《しまもよう》の翼を立てている。あとで気づいたことだが、このフレスコ画の背景は、この修道院の風景そのものである。天井のアーチも、円柱のデザインも、左奥の塀《へい》や糸杉の繁《しげ》みも、みんなよく似ている。晩年の作ではあるが、アンジェリコ自身この修道院で修道士としての生活を長く送ったことがあるのだから、この類似性も頷《うなず》ける。画家は、この修道院で受胎告知がおこなわれたと、そんなイメージを描いたのだろう。当初はもっと美しい色彩だったろう。褪色《たいしょく》の跡はいなめないが、保存状態はわるくない。現在のくすんだ色調もそれなりに美しい。

――マリアはどんな思いで告知を聞いたのだろうか――

胸の下に掌《てのひら》を交え、表情には驚きと敬虔《けいけん》さとが宿っている。天使も同じように掌を交え、腰を少しかがめ、相手を窺《うかが》うような面《おも》ざしで厳粛なメッセージを伝えている。

――いい絵だな――

色彩の調和がみごとである。全体のフォルムも整っている。見ていると、わけもなく敬虔な気持ちが込みあげて来る。森厳な気配が漂って来る。

私は飽かずに眺めていた。さまざまな思いが心をよぎる。

新約聖書の物語はすべてここから始まっているのだから……。


私が初めて新約聖書を手にしたのは、昭和二十年代の初頭、極端に物資の不足している時代だった。新刊の書籍などめったに手に入らない。進駐軍全盛の時代だったから、伝道の役目を負うた聖書のたぐいが、いち早く出版されたらしい。兄弟のだれかが入手したものだったにちがいない。洋書のポケット判のような造本で、たしか小口の色あいが鮮かな桃色だった。アメリカの匂《にお》いが感じられた。心を躍らせてページを開いたが、

——なんだ、これは——

と私は思った。

新約聖書は〈マタイによる福音書〉から始まる。その第一章。現在、手もとにある新共同訳（一九八九年版）から冒頭の部分を引用すれば、

〝アブラハムの子ダビデの子、イエス・キリストの系図〟

とタイトルを置いたあとで、

〝アブラハムはイサクをもうけ、イサクはヤコブを、ヤコブはユダとその兄弟たちを、ユダはタマルによってペレツとゼラを、ペレツはヘツロンを、ヘツロンはアラムを、アラムはアミナダブを、アミナダブはナフションを、ナフションはサルモンを、サルモンはラハブによってボアズを、ボアズはルツによってオベドを、オベドはエッサイを、エッサイはダビデ王をもうけた。

ダビデはウリヤの妻によってソロモンをもうけ、ソロモンはレハブアムを、レハブアムはアビヤを、アビヤはアサを、アサはヨシャファトを、ヨシャファトはヨラムを、ヨラムはウジヤを、ウジヤはヨタムを、ヨタムはアハズを、アハズはヒゼキヤを、ヒゼキヤはマナセを、マナセはアモスを、アモスはヨシヤを、ヨシヤは、バビロンへ移住させられたころ、エコンヤとその兄弟たちをもうけた〟

と、お経の文句みたいにだらだらと連ねてある。

私は小学六年生。少しもおもしろくない。ここだけを読んで放《ほう》り出してしまった。

その後、何度か新約聖書に触れ、通読し、読み返し、今あらためてこの冒頭の系図を読むと、昔とはちがった感想が浮かんでくる。

——前回までのあらすじかなあ——

とも思った。

私は本書より先に〈旧約聖書を知っていますか〉という、旧約聖書についてのダイジェスト風エッセイを書いて出版している（新潮社刊）。その執筆の最中に、

——どうしたら旧約聖書の内容を簡単に要約することができるだろう——

一番短いダイジェストを作ってみようと試みた。一ページに収まるくらい。これより短いものはないというダイジェスト。自分の頭に旧約聖書のあらましを刷り込むための作業だった。

すると、天地創造のくだりはべつにして、アブラハム以降は、

——えーと、アブラハムの子どもがイサクで、イサクの子がヤコブで、ヤコブの子がヨセフで——

と、結局のところ主要な登場人物の名前を抜き出していくことが一番簡略なダイジェストであり、心覚えのために役立つことがわかった。

新約聖書は旧約聖書の記述を踏まえたうえで成立しているものである。旧約と新約は二巻本の上下のような関係になっている。

そうであるならば、下巻のはじめには上巻のあらすじが呈示されているほうが望ましい。〈マタイによる福音書〉の冒頭に置かれた系図は、旧約聖書の主要人物をそのまま伝えるものではないけれど……とりわけ旧約聖書の中の最大のヒーロー、モーセ

を欠いていること一つを採ってみても、あらすじとしては不足があるけれど、それはともかく、この系図には旧約に登場する人物の名が数多く見られて、旧約を少しでも知っているなら、

――ああ、そう、そう、そうだったな――

と、記憶を再現することにも役立つだろう。不完全ながら、前回までのあらすじと思った所以《ゆえん》である。

だが、そんな瑣末《さまつ》な感想はさて置き、もっと本質的な問題として、

――えっ、変だな――

私が頭を抱えてしまう問題が、もう一つここにあった。

先に引用した部分に続いて〈マタイによる福音書〉はこう記している。

〝バビロンへ移住させられた後、エコンヤはシャルティエルをもうけ、シャルティエルはゼルバベルを、ゼルバベルはアビウドを、アビウドはエリアキムを、エリアキムはアゾルを、アゾルはサドクを、サドクはアキムを、アキムはエリウドを、エリウドはエレアザルを、エレアザルはマタンを、マタンはヤコブを、ヤコブはマリアの夫ヨセフをもうけた。このマリアからメシアと呼ばれるイエスがお生まれになった。

こうして、全部合わせると、アブラハムからダビデまで十四代、ダビデからバビロ

ンへの移住まで十四代、バビロンへ移されてからキリストまでが十四代である〃つまり、アブラハムから十四代、十四代、十四代と繋《つな》いでヨセフそしてイエスに到《いた》ったと説いている。十四はなにかしら縁起のよい数なのだろう。

ところが、このすぐあとに掲げられるのはキリストの誕生のいきさつ、すなわちマリアの処女受胎である。

〃イエス・キリストの誕生の次第は次のようであった。母マリアはヨセフと婚約していたが、二人が一緒になる前に、聖霊によって身ごもっていることが明らかになった。夫ヨセフは正しい人であったので、マリアのことを表ざたにするのを望まず、ひそかに縁を切ろうと決心した。このように考えていると、主の天使が夢に現れて言った。「ダビデの子ヨセフ、恐れず妻マリアを迎え入れなさい。マリアの胎《たい》の子は聖霊によって宿ったのである。マリアは男の子を産む。その子をイエスと名付けなさい。この子は自分の民を罪から救うからである。」〃

私は処女受胎の非科学性について言っているのではない。そのことはここでは問うまい。疑問はもっとほかのところにある。

系図は、マリアの夫ヨセフが、いくつかの曲折や疑義があるにせよ、アブラハムからダビデを経た一族の血を繋ぐ末裔《まつえい》として（多分、誇りを持って）記しているのである。そのヨセフの本当の息子がイエスであるならば、この系図の意図は充分に汲《く》み取れる。こういう正統な血筋からイエスが誕生したこととなり、首尾は一貫している。ところが、系図に続く記述が、イエスはヨセフと関係なく、マリアは聖霊によって受胎しイエスが誕生した、というのだから、素朴《そぼく》な頭で考えてみれば、

──じゃあ、長々と記した系図はなんのためだったのか──

となってしまう。

マリアの処女受胎を信ずるとしても……いや、むしろそれを信ずればこそ、この冒頭の二つの記述は内容的に矛盾している。もし聖なる一族の血筋を重んずるということなら、マリアその人がアブラハム以降の血を繋ぐものとして掲げてこそ納得のいくものとなるだろう。往時は男尊女卑の社会であったからという指摘は、この疑問に対して正確に応《こた》えるものではあるまい。

私は新約聖書についての、さまざまな解説書を読みあさってみたのだが、今のところ、この矛盾について的確に応じてくれる説明を見出《みいだ》していない。

冒頭の系図は、このままではあまり強い意味を持たない。〈マタイによる福音書〉は系図をはぶき、むしろマリアへの受胎告知から始まってもよかったのではあるまいか。養い親ヨセフについての、すばらしい血筋はもっとあとで……巻頭のような重要

なところではないページで、さりげなく触れておけばそれでよい。私が聖書の編纂者《へんさんしゃ》なら、きっとそうするだろう。

しかし、聖書の矛盾はここだけではない。随所にある。それはおそらく聖書の成立事情と深くかかわっていることだろう。西暦一世紀の前半、伝道のほむらが小アジア、ギリシア、ローマなどで燃え始めた頃《ころ》、到るところにさまざまな聖書的伝承があったにちがいない。それらを取捨選択し、集大成したものが今日の新約聖書である。Aさんの言うことと、Bさんの言うこととを混ぜ合わせれば、当然そこに矛盾が生ずる。あまり目くじらを立てずに、あるものをあるがままに読んでおくことが、とりあえず肝要な方法である。

フィレンツェから北へ百五十キロ……と言うよりベネチアから西へ四十キロ、ゴンドラの浮かぶ町から車で三、四十分の位置にパドワがある。ベネチアを訪ねる旅人は多いが、パドワまで足を進める観光客は少ない。

パドワの見どころは、ほとんど一カ所だけと言ってもよい。スクロベーニ礼拝堂。歴史の面影を残す町並みの一郭に静かに建っている。

フィレンツェから特急列車に乗って私がパドワに降りた日は快晴だった。秋風がすがすがしい。礼拝堂の周辺は公園の庭地のような設計になっていて、紅白二色の花が今を盛りとばかりに咲き乱れていた。

正直なところ、イタリア観光旅行は、これでもかこれでもかとばかりに宗教画を見せられるので、たいていは頭が混乱し、なにがなんだかわからなくなってしまうのだが、その点スクロベーニ礼拝堂の見学は単純で、明解で、まことにここちよい。初心者に向いている。

礼拝堂の扉《とびら》を押して中へ入ると、三、四十メートル先の奥まったところに祭壇がしつらえてあるのは毎度お馴染《なじ》みの構造だが、両側の壁面にさながら絵本のページを繰るように一連の物語がフレスコ画で描かれている。筆者はルネッサンス美術の先駆とも称されるジョットである。フラ・アンジェリコの〈受胎告知〉と比べれば褪色の弊は濃いけれど、三十九枚の壁画を一つ一つ追っていくと、一連の物語が浮かびあがってくるところが楽しい。それぞれの絵画の内容を伝える日本語の一覧表が備えてあったのも頼もしかった。以下にその一覧表を記そう。

1　神殿から逐《お》われるヨアキム
2　ヨアキムと羊飼いたち

35　キリストの死への悲しみ
36　我に触れるな
37　キリストの昇天
38　聖霊の降臨
39　(入口上部) 最後の審判

とりわけ興味深かったのは1から12までである。新約聖書にはほとんど記されていないマリアの背景が描かれている。

マリアの父はヨアキム、母はアンナ。このヨアキムがダビデの血筋をしっかりと繋ぐエリートだった。救世主はダビデの血筋から現われるという信仰があったから(預言書にもそう記されていたから)ヨアキムのこの資質はとても大切な属性と言ってよいだろう。

ヨアキムとアンナの夫婦は長いあいだ子宝に恵まれず、さびしい思いをしていた。あるときヨアキムはエルサレムの神殿に赴き、多大な供物《くもつ》をささげて神に祈ろうとするが、それを神官に拒否され追われてしまう。子孫を残さない者は神の呪《のろ》いを受けていると、そう考えられていたのである。ジョットの描く1の絵は、この光景だろう。

壁画はその後の経過を追って進んでいく。

絶望したヨアキムは家に帰らず、荒野に退き、羊飼いとともに暮らしながら四十日四十夜断食の苦行を続けて神の恵みを求めた。

一方、アンナは子どもが生まれないのは自分のせいだと思い、また帰らぬ夫の身を案じながら神に祈っていたが、ある日、彼女の祈りに応えるように天使が現われ、近く彼女の願いが叶《かな》えられ、子どもが生まれることを告げる。そして、荒野で生け贄《いにえ》を捧げながら祈っているヨアキムのところへも天使が夢に現われ、家に帰れば大きな喜びが待っていることを伝える。

かくてヨアキムとアンナは、エルサレムの城門の一つ黄金門で再会し、神の恵みを喜びあう。月満ちて女の子が生まれた。マリアと名づけた。

アンナは、これより先、神に祈っていたとき「もし子どもをお恵みくださったなら、その子をかならず神に捧げ、生涯《しょうがい》のすべての日々を神への奉仕に向かわせます」と誓っていた。その誓いどおり、マリアは三歳になると神殿に預けられ、それから十年間あまり、ヨセフに嫁ぐ日まで神への奉仕を続け、そしてそれ以後も神とのかかわりの深い一生を歩むこととなる。

ジョットが描いた杖のエピソード（9、10）は短いながら物語性に富んでいる部分である。マリアが十二歳になったとき、夫選びのコンクールがおこなわれた。マリアを妻としたい者は「杖を持って集まれ」それは神の意志であった。大祭司の祈りに応え、神が夫となるべき男に印を示してくれるはずであった。美少女マリアを妻にしようと神殿に集まった多くの男たちの杖にはなんの変化もなかったが、

「やったぜ」

大工のヨセフの杖から鳩《はと》が現われ、ヨセフを祝福する。こうしてヨセフがマリアの許婚者《いいなずけ》として選ばれたのである。

一連の壁画を眺《なが》めていると……マリアの前半生もまた聖なるエピソードに富んでいたわけである。とりわけヨアキムが由緒《ゆいしょ》ある血筋であることを知ると、

——よかったなあ。マリア自身がアブラハム・ダビデの血を繋《つな》いでいるのなら、なんの問題もない——

預言も滞《とどこお》りなく全《まっと》うされるのだが、先にも触れたように新約聖書そのものはマリアの血筋についてはほとんどなにも触れていない。今、述べたマリアの前半生は聖書以外の伝承であり、聖書の内容や枠組《わくぐ》みがきっかりと決まってからは、むしろこの種の伝承は邪説として排除され、稗史《はいし》伝説のたぐいとして軽視され、公式に扱われることは少なかっただろう。だが、マリア信仰が強まるにつれ、大衆はマリアの物語を求め

る。古い伝承が引き出され、新しい話が加えられ、ジョットの活躍した十四世紀には礼拝堂の壁を飾り「ほら、マリア様はこうしてお生まれになったのよ」と、子どもや字の読めない人々に対して、おおいに影響を与えたにちがいない。

私自身は〈マタイによる福音書〉の冒頭の部分を読み、

――本当に必要なのはマリアの出自のほうなんだがなあ――

と思っていた矢先だったから、スクロベーニ礼拝堂の壁画は、まことに一貫性があって楽しかった。ジョットの壁画も受胎告知以降はほとんど新約聖書の内容を忠実に追っている。33にあるカルヴァリオは馴染みの表現に言い替えればゴルゴタである。

話を新約聖書そのものに戻そう。

ガリラヤ湖の西三十キロの町ナザレにマリアという名の娘が住んでいた。大工ヨセフの許婚者であった。ところがこの娘がこともあろうに結婚をしないうちに身籠《みごも》ってしまったのである。そのいきさつは先に引用した〈マタイによる福音書〉の第一章につまびらかだが、とても大切なことなので、もう一つ〈ルカによる福音書〉からも同じ事件の記述を引用しておこう。

〝天使ガブリエルは、ナザレというガリラヤの町に神から遣わされた。ダビデ家のヨセフという人のいいなずけであるおとめのところに遣わされたのである。そのおとめの名はマリアといった。天使は、彼女のところに来て言った。「おめでとう、恵まれた方。主があなたと共におられる。」マリアはこの言葉に戸惑い、いったいこの挨拶《あいさつ》は何のことかと考え込んだ。すると、天使は言った。「マリア、恐れることはない。あなたは神から恵みをいただいた。あなたは身ごもって男の子を産むが、その子をイエスと名付けなさい。その子は偉大な人になり、いと高き方の子と言われる。神である主は、彼に父ダビデの王座をくださる。彼は永遠にヤコブの家を治め、その支配は終わることがない。」マリアは天使に言った。「どうして、そのようなことがありえましょうか。わたしは男の人を知りませんのに。」天使は答えた。「聖霊があなたに降《くだ》り、いと高き方の力があなたを包む。だから、生まれる子は聖なる者、神の子と呼ばれる。あなたの親類のエリサベトも、年をとっているが、男の子を身ごもっている。不妊の女と言われていたのに、もう六か月になっている。神にできないことは何一つない。」マリアは言った。「わたしは主のはしためです。お言葉どおり、この身に成りますように。」そこで、天使は去って行った〟

〈マタイによる福音書〉では天使の声を聞いたのはヨセフのほうである。夢のお告げであった。〈ルカによる福音書〉ではマリアの前に天使が現われ、マリア自身がその声を聞いている。多くの名画〈受胎告知〉の風景は、こちらのほうだろう。

同じ出来事を伝えているのに微妙にくいちがっている。前後している。松本清張さんならば、推理の刃《やいば》を切り込むところだろう。

あえて辻褄《つじつま》をあわせてみるならば、まず先に天使がマリアのもとに現われ聖霊によって身籠っていることが知らされたのだろう。それが部分的な噂《うわさ》となって広がり、許婚者ヨセフの耳に入った。ヨセフとしては、

——聖霊によって身籠った？　そんな馬鹿《ばか》な——

信じなかったが、彼は人柄《ひとがら》のよい人だったから、マリアを傷つけようとせず、そっと身を引いて婚約を解消しようとした。「処女だと思ったのに、ほかの奴《やつ》の子どもが腹ん中にいるんだとよ」などと、下品な言葉を吐いて週刊誌に訴えるような真似《まね》はしなかったわけである。

ところが、そのヨセフのもとにも天使が現われた。夢の中ではあったけれど、夢のお告げはけっしてあなどれない。なによりも当時はそういう時代であった。神は時折そういう手段をとる。ヨセフはそのお告げを信じた。

エリサベト（エリサベツ）というのは、引用の文中にもある通りマリアの親戚《しんせき》筋の女性で、マリアの姉さん株といった役割だろう。この人も長く子宝に恵まれなかった

が、ある日、夫のザカリヤが聖所で香を焚《た》き、神への祈りを捧げていると、天使が現われ、

「ザカリヤよ、お前の願いは聞き入れられた。あなたの妻は男の子を生む。ヨハネと名づけるがよい。その子は母の胎内にあるときから聖霊に満たされ、大切な神への役割を果たすであろう」

と告げられる。

似たような出来事がマリアのすぐ近くですでに起こっていたのである。そうであればこそマリアもヨセフも処女受胎についての天使のメッセージを信じたのであり……

聖書の読者も、

——なるほど、伏線が張ってあったわけか——

と納得するわけである。

このエリサベツの子ヨハネは、イエス・キリストに洗礼をおこない、イエスの水先案内人とも言うべき役割をまっとうする、あの洗礼者ヨハネとなるのだが、それについては次回で触れることにしよう。

天使の声を聞いたマリアは、一応は信じたものの、

——でも、本当かしら——

同じような体験を持つエリサベツのところへ行って様子をうかがってみようと考えた。

「今日は。ねえ、エリサベツ。天使様が現われて、あなたの妊娠を予告したって、本当なの？」

「本当よ。触って。もう六カ月になるのよ。あなたが見えたんで、喜んで躍っているわ」

エリサベツの子ヨハネと、マリアの子イエスとは、母の胎内にあったときから感応しあっていたわけである。

「すばらしいわ」

「あなただってそうよ。心配いらない。聖霊によって身籠ったのね。りっぱな赤ちゃんが生まれるわ」

「ええ……」

マリアは三カ月間エリサベツの家に滞在して、家に帰った。身心の準備期間であった。

その頃のユダヤ地方は、古代最強の国家ローマの支配下にあったが、ユダヤ人の王も太守のような立場で君臨していた。年ごとに政治の状況は異なっているが、大ざっぱに言えば、ローマの出先機関としての総督がおり、それとはべつにユダヤ人の王がいて、さらに宗教的な指導者である大祭司が力を持っていた、と考えてよいだろう。ローマ皇帝アウグストゥスの命により支配下の住民全部に対して登録の義務が課せられた。登録は本籍地でおこなうこと……。ヨセフはナザレに暮していたが、本籍はエルサレム郊外のベツレヘムだったらしい。住民登録のため身重のマリアを連れてベツレヘムへ行ったが、町は同じような目的の旅人たちでいっぱい、泊まる宿がない。仕方なしに家畜小屋のすみを借りて一夜の宿とする。そこでマリアがイエスをもうけた。生まれた赤児は布にくるまれ、飼《か》い葉桶《ばおけ》に寝かせられた。

この夜、周辺の山野で羊の番をしていた羊飼いたちが、

「あれはなんだ！」

突然、夜空が輝き、天使が現われ、

「たった今、ダビデの町で救い主がお生まれになった。飼い葉桶の中に眠っていらっしゃる」

と告げる。

救い主の誕生は、長く大衆のあいだに望まれていたことであった。

「よし、行ってみよう」

羊飼いたちはベツレヘムに向かい、飼い葉桶の中に眠るイエスを見つけた。

一方、これより少し前、東国の三人の博士が、それぞれべつべつに星の動きを観測していたところ、ひときわ大きな星が夜空に現われ、尾を引いてエルサレムのほうへ移り動いていく。

「これは新しい王の誕生にちがいない」

「神が地上にお降りになったのではあるまいか」

「新しい時代の幕あけだぞ、きっと」

三人の博士は胸の躍動を覚え、矢も楯《たて》もたまらず旅に出発して星の行方を追った。

三人はめぐりあい、

「これは新しい王の誕生ですな」

「どこにお生まれになったのでしょう」

「やはりエルサレムの宮殿ですかな」

誘いあってエルサレムに向かい、ヘロデス大王の館《やかた》を訪ねた。ユダヤ人の王ヘロデスは三人の博士を迎え、

「新しい王とな?」

と首を傾《かし》げる。思い当たるものはなにもない。側近の学者や占い師に尋ねてみると、

「生まれるとすればベツレヘムです。預言書にそう書いてあります」

「そうか」

博士たちにはその旨《むね》を伝えたうえで、

「それらしい御子《みこ》を見つけたらぜひとも教えてほしい。私も行って拝もうから」

と願った。

三人の博士はベツレヘムに到《いた》り、そこでイエスを発見し、贈り物を捧げて礼拝した。三人の名はカスパール、メルキオール、バルターザール、そして贈り物は金と乳香と没薬《もつやく》、いずれも当時の貴重品であった。

ヘロデス大王のほうは、

——新しい王なんかに誕生されて、たまるもんか——

障害となりそうなものは若い芽のうちに摘んでおけ。だが三人の博士は大王の魂胆を見抜き、エルサレムには戻らず、さっさと故郷へ帰って行ってしまう。大王は、

——よーし、皆殺しだ——

ベツレヘムに生まれた二歳以下の男の子をすべて殺すようにと命令をくだす。

しかし、そのことは、実行より先に、イエスの養い親ヨセフの夢の中に天使が現われ、

「エジプトへ逃《の》がれよ。そしてヘロデスが死ぬまでそこに留《とど》まれ」

と伝えられる。

ヘロデス大王の死は西暦前四年。ふたたび天使がヨセフの夢に現われて、それを教える。ヨセフ、マリア、イエスの聖家族は、まだなお危険の残るエルサレム周辺には帰らず、夫婦にとって馴染みの深いガリラヤ地方のナゼラト（ナザレ）へ帰って居を定める。イエスはそこで育った。ナザレの人イエスと呼ばれる所以《ゆえん》である。

なお西暦はイエスの誕生を元年として定められた、とされているが、イエスの本当の誕生は西暦前五年か六年らしい。ヘロデス大王の死が西暦前四年なのだから、元年の誕生はこのエピソードを信ずる限り矛盾している。

新約聖書の中核をなす四つの福音書、すなわち〈マタイによる福音書〉〈マルコによる福音書〉〈ルカによる福音書〉〈ヨハネによる福音書〉の内容は何か、と問われたならば、私は、

「えーと、それはまあ、イエス・キリストの言行を弟子たちが記したものですね」

と、とりあえずは答えたい。かなり大胆な返答ではあるけれど、当たらずとも遠からず。

だが、より正確に言えば、これは、この返答から即座に想像されるようなノンフィクションではない。イエスの言行についての正確な記録ではない。むしろ、そのモチーフにおいては「イエス・キリストが神の子であることを伝えるフィクション」と答えたほうがよいだろう。福音書を読むときに、この視点を忘れてはなるまい。

四つの福音書の筆者と目されているマタイ、マルコ、ルカ、ヨハネについて言えば……たしかにキリストの直弟子である十二人の使徒の中にマタイ、ヨハネの名前はあるけれど、これと福音書の筆者は別人らしい。それが定説である。マルコやルカに到っては生前のイエスを見てもいないだろう。だからイエス・キリストの言行を記したものと言っても、その記述は間接的であり、そうであればこそそれぞれの立場や思想を反映して作られている。

イエスの言行を伝えるという点では一致していても、その内容も相当に異なっている。同じ出来事を扱いながら微妙にくいちがっているケースも多いし、一人はある出来事を詳細に記しているのに、他の一人はまるで触れていないケースもある。四つの福音書はいっせいに書かれたわけではないから、先に作られたものが、あとのものに影響を与えているケースも散見される。

たとえばイエス生誕のエピソードは、〈マタイによる福音書〉と〈ルカによる福音書〉には記されているが、残りの二つは、

――受胎告知？　知らんなあ――

なのである。どちらもイエスが成人したところから始まっている。

ちなみに言えば、〈ヨハネによる福音書〉は他の三つに比べ一層神学的な色あいが濃く、言行の記録というより、信仰の対象としてのイエスという側面を強く打ち出している。この福音書の冒頭が、

〝初めに言《ことば》があった。言は神と共にあった。言は神であった。この言は、初めに神と共にあった。万物は言によって成った。成ったもので、言によらずに成ったものは何一つなかった。言の内に命があった……〟

であることは銘記しておいてよいだろう。すべての事柄が言葉によって始まり、言葉がなければなにも始まらなかった、というテーゼは、そのままでも充分に理解できる。人類は言葉というものを発見し、それによって世界を切り取り、それによっていっさいの思考を深めて来たのだから……。だが、それとはべつに〈ヨハネによる福音書〉は、この数行にもっと深い、神学的な意味を託しているのだが、そのことについてはここでは触れまい。

要は四つの福音書が同じ対象を扱いながら微妙に異なっていること、それゆえにイエスの言行を矛盾なく追うためには、いくつかの取捨選択が必要であり、他の資料の応援も受けなければならない。どれが正しいとは言いきれない。いくつかの出来事をおおまかな事実として捕らえ、エピソードに含まれた信仰的な意図を汲《く》むことのほうが大切だろう。四つの福音書についてそれぞれダイジェストを作るのはわずらわしい。読みづらい。すべての聖書物語のたぐいは、四つの福音書を綜合的《そうごうてき》に捕らえたものである。私もその道を選ぼう。

そして、その道の冒頭に立ったとき……受胎告知はなかっただろう、と私は考えている。それは、

――処女が受胎するわけ、ないだろ――

という科学的な根拠から言うのではなく、史料の判断《クリテーク》としてそんな気がする。

イエスが生きていた一世紀の初頭、そしてその死の直後、イエスの出生にまつわる不思議なエピソードは、あまり広くは語られていなかったのではあるまいか。周知の情報なら、こんな大切なことをマルコやヨハネが無視するはずがない。

エピソードが生まれた背景には、すべての民族が持っている民俗的な思考傾向、つまりヒーローは普通の生まれかたをしない、という願望があった、と私は思う。プラ

トンも釈迦《しゃか》も秀吉もみんな誕生については普通ではないエピソードを担っている。神が人間の女性を身籠らせ、そこから世を救う英雄が誕生するという骨子は、ほとんどの神話伝説に見られる特徴である。庶民を対象にして広がっていった福音書の内容も、同じような影響を受けていただろう。マタイとルカがそれを記した。

そして、それにいつの頃《ころ》からかマリアへの崇拝が加わる。マリアも普通の人であってはなるまい。そんな感情が生まれる。

新約聖書の中身をすなおに読む限り、マリアはそれほど重要な立場を与えられていない。二つの福音書には受胎告知がつまびらかに記されているけれど、これは伝道の揺籃《ようらん》期にどこかの教団で部分的に語られ、マタイとルカによって伝えられたものだろう。

しかし、時代が移るにつれ、マリア崇拝は勢いを増し、一つの主流となり、確乎《かっこ》たるものとして育った。宗教には、母がわが子を包み込むような全き恵みがなければならない、厳格さだけでは宗教は大衆のものとなりにくい、という宗教学者の指摘もある。

余談ながら、ついでに一言だけ述べておけば、マリアの相手はほかにいる、ローマの兵士、パンテラという名前だ、という指摘が早い時期からあるにはあった。心根の正しいヨセフはそれを承知でマリアを引き受け、成長したイエスは、その事実を知って早く家を出た。家督を正統な弟たちに譲ろうと考えたわけである。と同時に、イエスはそうした事情にもかかわらず、自分をわが子同様にいつくしんでくれたヨセフの姿を通して、人の世の愛を知った、と、この説は続くのである。辻褄《つじつま》があっている部分もあるけれど、パンテラは、キリスト教に反対する人たちの捏造《ねつぞう》かもしれないし、二千年の歳月が経過した今、この説を確かめることはできまい。

それはともかく宗教美術の世界を眺《なが》めれば、マリアの人気は絶大である。イエス・キリストに肉迫している。凌駕《りょうが》さえしかねない。受胎告知も無数と言ってよいほど数多く描かれている。私もヨーロッパ紀行の道中でいくつ見たか計り知れない。フィレンツェのサン・マルコ博物館には、もう一つフラ・アンジェリコの著名な〈受胎告知〉があって、これは天使のほうが、すっくと立ち、マリアが上体を少し倒している。マリアの表情は少しかたくなで、天使のほうは腕をそろえ、

「もう決まったことなんだから。しっかりしなさいよ」

生徒指導の教師が女学生を叱《しか》っているような気配がないでもない。

同じフィレンツェのウフィツィ美術館には、ボッティチェリ、レオナルド・ダ・ビンチ、マルティーニなど、さながら競演でもするかのように〈受胎告知〉の図柄《ずがら》があ

って、それぞれを見較《みくら》べると、なかなかおもしろい。ボッティチェリの天使は、低い姿勢で、いつでも逃げられるような物腰でマリアをうかがっている。マリアのほうは、

——あれまあ、恥ずかしい——

踊るような、ずいぶん大袈裟《おおげさ》な身ぶりである。カマトトではあるまいか。

ダ・ビンチのほうは、

「申しあげましょう」

「聞きましょう」

堅く、厳粛な雰囲気《ふんいき》である。

マルティーニのマリアは、体を捩《よじ》るように退けて、怒ったような表情だ。このマリアはちょっと意地のわるそうな感じ……。

宗教画を見て歩く旅は……とりわけイタリアなどでは、あまりにも数が多過ぎて、見るのがつらい。足ばかりか体まで棒になってくる。いくつか焦点を絞って鑑賞したほうがよいだろう。そのためには〈受胎告知〉は恰好《かっこう》なテーマの一つである。この決定的な瞬間にどんなムードが漂ったか、想像してみるのは楽しい。

だれだって、いきなり天使が現われ、

「あなた、妊娠してますよ」

と言われたら、普通ではいられない。

私としては、冒頭に記したアンジェリコの壁画が一番の好みである。その鑑賞法は、階段の踊り場に立って右上を見て、

「はいっ」

受胎告知の有無はともかく、アンジェリコの名作は厳かな気配を漂わせてたしかにそこに実在している。

2 妖女サロメ

銀座セゾン劇場でオスカー・ワイルド原作のドラマ〈サロメ〉を見た。演出はスティーブン・バーコフ。彼自身が、登場人物の一人ヘロデス王を演じていた。

芝居はときどき見る。歌舞伎《かぶき》やミュージカルのたぐいを含めて一年に二十本くらいは見ているだろう。楽しいものもあれば、つまらないものもある。

だが、舞台大好き人間の小田島雄志さんの言によれば、

「どんな芝居でも見どころがあるものなんですよ。役者が好きで通う場合もあるし、舞台装置に眼《め》を見張るときもある。音楽や踊りがすばらしいのもあるし、台詞《せりふ》のよさに感心するときもある。どこか一つでもよいところを見つけて、それを鑑賞すればいい。だから芝居はすてきなんですよ」

なるほど。好きとはそういうことなのだろう。舞台は綜合《そうごう》芸術だから、いろいろな要素が含まれている。ストーリィがおもしろく、役者も名演技ぞろいで、しかも装置もよし、音楽もよし、すべてが整っていて、

——いい芝居だなあ——

と全面的に丸をつけるケースが一番望ましいのは当然だが、お金を払って見る以上、楽しまなければ損である。渋面ばかりを作って帰ることもあるまい。一つだけでもよ

いところを見つけて、それをひたすら鑑賞して、

――もとは取ったな――

よい気分で家路につければ、それに越したことはない。小田島さんの意見を聞いてから私も芝居の見方が少し変った。横道ながら……人間関係についても、なにかしら相手のよいところを見つけて接していれば人生は楽しい。

それはともかく、スティーブン・バーコフ演出の〈サロメ〉だが、正直なところ、私は劇場に入ってパンフレットを読むまでバーコフという人についてほとんどなんの知識も持たなかった。ロンドンの生まれなのか。前衛劇の出身かな？　客席の薄暗がりでパンフレットの解説を見て少しずつ見当をつける。幕があがって、

――ふん、ふん、こういう趣向なのか――

と、さらに認識が深まる。この少しずつわかるというところにも演劇を楽しむポイントがあるのかもしれない。

舞台はとてもシンプルな構造だった。たった今〝幕があがって〟と書いたけれど、この芝居には幕がなかった。照明の光とともに始まり、暗転で終った。全体に黒の気配を基調として、中央に細長いテーブル、下手《しもて》にグランド・ピアノが一台。音楽はこの楽器が奏《かな》でるシンプルなメロディに限られていた。

原話は二千年も昔のエピソードだが、バーコフの舞台は二十世紀の初頭、カクテル・パーティの情景に変えられている。男たちは黒いタキシード、女たちは同じく黒の夜会ドレス。正面奥に広く据《す》えられたテーブルが室内で、数人の男女が群がって、今や酒宴のまっ最中。その前側の舞台、なにもない平面が、テラスであり中庭となっている。

中庭のまん中に、つまり舞台の突先に半裸の男がうずくまっている。ドラマが進むにつれ、これがヨカナーンだとわかった。ヨカナーンは、聖書風に言えば洗礼者（バプテストの）ヨハネのことである。

しかし、この舞台では……舞台上の約束では、ヨカナーンは中庭にうずくまっているわけではない。彼の周囲には、なんの囲いも柵《さく》もないけれど、そこは空井戸の底であり、牢獄《ろうごく》の中なのである。捕らえられたヨカナーンが、時折、地の底から断罪の叫びを発する、という設定になっている。

登場人物たちの動きは、すべてスローモーション・カメラの映像のようにゆっくりと動く。王も王妃も客人たちも。まったくの話、若いシリア人がみずからの胸に刃《やいば》を立て倒れ落ちるときでさえ、彼はゆるゆると倒れて死ぬ。最期《さいご》の苦悶《くもん》も同様である。サロメの踊りもまた遅い。

――役者は大変だなあ――

と思わずにはいられない。

私は眼を皿にして注視していたのだが、この緩慢な動作は端役《はやく》に到《いた》るまで常時ぬかりなく守られていた。プロの役者ならばこのくらいの所作はできて当然だろうけれど、さぞかし体のふしぶしに痛みが残るだろう。こうしたゆるい動作とシンプルな舞台装置のせいで、舞台は一気に非日常的な情況を作りだす。そのあたりに演出家バーコフの狙《ねら》いがあるらしい。

だが……話の順序が逆になってしまった。まずは新約聖書の中のサロメから語らなければなるまい。

意外なことに妖姫《ようき》サロメにまつわるエピソードは新約聖書の中にはほんの少ししか記されていない。〈マタイによる福音書〉第十四章から引用しておこう。

〝ヘロデは、自分の兄弟フィリポの妻ヘロディアのことでヨハネを捕らえて縛り、牢に入れていた。ヨハネが、「あの女と結婚することは律法で許されていない」とヘロデに言ったからである。ヘロデはヨハネを殺そうと思っていたが、民衆を恐れた。人々がヨハネを預言者と思っていたからである。ところが、ヘロデの誕生日にヘロディアの娘が、皆の前で踊りをおどり、ヘロデを喜ばせた。それで彼は娘に、「願うものは何でもやろう」と誓って約束した。すると、娘は母親に唆《そそのか》されて、「洗礼者ヨハネの首を盆に載せて、この場でください」と言った。王は心を痛めたが、誓ったことではあるし、また客の手前、それを与えるように命じ、人を遣わして、牢の中でヨハネの首をはねさせた。その首は盆に載せて運ばれ、少女に渡り、少女はそれを母親に持って行った〟

もう一カ所〈マルコによる福音書〉の第六章にも類似の記述があるが、それは省略しよう。

イエス・キリストより少し前に登場した聖者にヨハネ（ヘブライ名ヨハナン）がいた。彼はイエスに洗礼をおこなったので洗礼者ヨハネと通称されている。聖書には同じ名前の人が多いから、しっかりと区別しなければなるまい。洗礼者ヨハネは人々に信頼された、ひとかどの聖者であり、結果のほうから見ればイエス・キリストの前座を務めた人であった。

ユダヤ王ヘロデス（ヘロデ）は……この名前にもう一人有名な人物がいて、それはイエスが生まれたときに幼児殺しを命じた、あのヘロデス大王である。〈サロメ〉に登場するのはこのヘロデス大王の息子であり、大王と区別するためにヘロデス・アンティパスと呼ばれることもある。大王のほうはその名の通り国威を高め神殿を再建するなど大王らしい政治をおこなったが、アンティパスのほうはサロメとのかかわりで洗礼者ヨハネを殺したこと以外、これといったエピソードを残していない。

少々ややこしいけれど、ヘロデス大王の子にしてアンティパスの名を付すヘロデス王は、異母兄の妻ヘロディアス（ヘロディア）の美貌《びぼう》にぞっこん惚《ほ》れ込み、兄から奪って自分の妻にしてしまった。そのあと兄を殺したという噂《うわさ》もある。兄弟の妻を盗むことは大変な罪悪だった。殺していれば、もっとわるい。一方、ヘロディアスのほうだが、こちらも「弟さんのほうがすてき」と、みずから進んで夫を裏切った形跡もあり、その性格も古代史の王妃にありがちな残忍にして傲慢《ごうまん》、信仰心などさらさら持たない女だった。こういう手合いが威張っていては、聖者には許しがたい。ヨハネがしきりに断罪を叫ぶものだから、

「あの男、気に入らないわ。殺して」

王妃に頼まれ、ヘロデス王はヨハネを捕らえて、とりあえず牢に閉じ込めた。すぐに殺さなかったのは、王自身も、

——あれは偉い預言者かもしれない——

と、ヨハネをおそれていたからである。ヨハネに対する大衆の信望は馬鹿《ばか》にできない。決断をあやまると、暴動が起きたりするかもしれない。当時のユダヤはローマの

支配下にあったから、大衆の蜂起《ほうき》があったりすると、原因はどうあれ、

「お前がドジだからだ」

と、王自身がローマから断罪されるおそれがあったのである。

ヘロデス王の本当の人柄はどうだったのか。いくつかの想像が浮かんでくる。ワイルドの名作を先に読んでいると、その先入観をなくすのがむつかしい。

私見を言えば、政治的には凡庸なインテリゲンチアだったろう。ヨハネの言うことも正しそうだし、王妃にはいい顔をしたいし、ローマ方面の意向はあなどれないし、大衆も身方につけておきたい。いくつもの板挟《いたばさ》みにあって、うろたえながらも必死になって、王の面目を保とうとしていたのではあるまいか。社長にも部下にも女房にも、みんなに気を使っている、気弱で良識派の中間管理職氏……私にはそんな姿が浮かんでくる。

そのヘロデス王に思いがけないチャンスがめぐってきた。

ヘロデス王の誕生日の祝宴。大勢の客人の前で王妃ヘロディアスの連れ娘《つこ》が踊りを披露《ひろう》した。新約聖書ではマタイもマルコも〝ヘロディアスの娘〟とだけ言って、サロメの名は記されていない。この名前は他の史料によるもので、ヘブライ語では平和の意味があるらしい。多くの場合、名前は逆説的である。あまりみごとな踊りだったの

でヘロデス王は喜びのあまり、

「褒美《ほうび》をやろう。なんなりと好きなものを言え」

「なんでもよろしいのでしょうか」

「ああ、よいとも。宝石でも、孔雀《くじゃく》でも、願うものはなんでもやろう。神に誓おう」

娘は母のところへ駈《か》け寄って、

「なにがいいかしら」

と尋ねた。ヘロディアスは娘の耳にそっとささやく。

「えっ？」

「いいのよ。そうしなさい」

「はい」

娘は王の前に戻って、

「ではお願いを申しあげます」

「うん？」

「牢に繋《つな》がれているヨハネの首を……。盆に載せ、この場でくださいませ」

「なんと！」

ヘロデス王は狼狽《ろうばい》する。

「願うものはなんでもというお言葉でした」

誓いでもあり、客人の手前もある。王の威厳も示さなければなるまい。ただちに王の命を受けた首斬《くびき》り人が牢に向かい、ヨハネの首をはね、約束通り盆に載せて娘に与えられた。

首はさらに王妃へロディアスのところへ運ばれ、

――私を罵《ののし》った罰よ――

王妃は、にんまりと満足の笑みを浮かべただろう。凄惨《せいさん》な光景だが、王妃みずからが望んだことであり、ヨハネに対する憎しみは充分に激しいものであったろうから。

新約聖書はこのあとヨハネの遺体が弟子たちの手に渡り墓に納められたのち、その知らせがイエスのところへ届いたと記して、このエピソードを終えている。

サロメはどうなったか？　ワイルドの戯曲では、死首に口づけするサロメを見てへロデス王が「あの女を殺せい！」と命じるところで幕となっているが、古い史料の記述では、サロメはこののち二度結婚をし、比較的平凡な一生を送ったと伝えられている。こうしてみると、おぞましい出来事の首謀者はむしろ王妃へロディアスのほうであり、若い娘サロメはただ優美な踊りを舞って、母の命ずるままにヨハネの首を所望した、主体性のとぼしい乙女でしかなかったのかもしれない。妖女のイメージが付加されるようになったのは、数百年たってからのことである。

そして、このエピソードの真相は……大衆を煽動《せんどう》して暴動まで起こしかねないヨハネに対してヘロデス王自身が、

——やっぱり殺しておいたほうがいいかな——

と、考えたこと、つまり政治的な判断がまず先にあって、それがヘロディアスの憎しみと合致し、サロメの踊りを機にして、たくみに実行された……と、そう考えたほうがよいのかもしれない。

踊りのご褒美という理由だけでヘロデス王自身が望まない大事が実行されるはずがない。ありうるかもしれないが、釈然としない。王の本心を知って王妃が便乗した、と、そう考えるほうが納得がいく。サロメはただの傀儡《かいらい》だったのではあるまいか。

新約聖書にとって大切なのは洗礼者ヨハネのほうである。

ヨハネは祭司ザカリヤとその妻エリサベツの子であり、この夫婦は長いあいだ子宝にめぐまれず、そのことを悲しんでいた。

ある日、ザカリヤが聖所に入って香を焚《た》いていると、突然、天使が香壇のかたわらに現われた。

「あ、あっ」

ザカリヤは驚いて叫んだが、天使はそれをたしなめて告げた。

「ザカリヤよ、恐れることはない。あなたの願いは聞き入れられた。あなたの妻エリサベツは近く男の子を生む。ヨハネと名づけなさい。その子の誕生は多くの人々の喜びとなるだろう。その子は胎内にあるときから聖霊に満たされ、やがて偉大な人となる。イスラエルの多くの人々を神のもとに向かわせ、神の道を準備する人となるだろうから」

「本当でしょうか。私も妻もすっかり年を取っておりますが」

「私は天使ガブリエルだ。神の使いとしてこのことをあなたに告げているのだ」

「はあ？」

と、ザカリヤは首を傾《かし》げた。にわかには信じられない。

「疑っているのか」

「いえ、その……」

「神にはできないことはない。疑ったあなたは、事が成就《じょうじゅ》するその日まで口がきけなくなるだろう。それがなによりの証《あか》しである」

天使は消え、気がつくとザカリヤは口がきけなくなっていた。聖所を出て手ぶりで出来事を話すザカリヤを見て、人々は彼が幻を見たのだと思った。

エリサベツは間もなく身籠《みごも》る。イエスの母マリアが受胎告知を聞いて、エリサベツの家を訪ねたのは、この頃《ころ》のことである。

やがてイエスに少し先んじて男の子が生まれた。ザカリヤはあい変らず口がきけない。生まれて八日目、イスラエルの習慣に従って新生児には割礼がほどこされる。集まった人々は、

「名前をつけなくちゃあ」

命名もまたこの日の儀式に含まれていた。

「お父さんの名を取って、ザカリヤにしよう」

エリサベツが首を振り、

「それはいけません。ヨハネにしてください」

と言う。

「はて。そういう名は、この家にはないぞ」

一族にふさわしい名がいくつか用意されていたのだろう。

「でも、この子は神様のお導きなのです。絶対にヨハネでなければいけません」

「困ったな。まあ、お父さんの意見を聞かなくてはな」

ザカリヤに尋ねると、ザカリヤは板を取り出して「この子の名はヨハネ」と書いた。

「父親が言うのなら、仕方ないな。じゃあ、ヨハネだ」

名前が決まったとたんに、

「絶対にヨハネだ」

と、ザカリヤの口が開き、声がこぼれた。預言の成就と同時に口がきけるようになったわけである。

ザカリヤは神に感謝し、事のいきさつをみんなに告げた。

「ふーん、そういう子どもなのか」

見れば、幼な児はすでにしてどことなくただ者ではない風貌を備えている。

――大変な人になるかもしれんぞ――

と、人々は恐れながらもヨハネの成長を見守った。おそらく賢い子どもだったにちがいない。

成人したヨハネは俗世間の立身出世などには目もくれず、ヨルダン川流域の荒れ野をすみかとし、駱駝《らくだ》の毛衣をまとい腰に革帯を締め、食するものは蝗《いなご》と野蜜《のみつ》だけ、聖者にふさわしい生活を送りながら、

「悔い改めよ。神の国は近づいた」

と人々に呼びかけ、求め来《きた》る者に洗礼を授けた。多くの人々がヨハネの叫び声に耳を傾け、神への思いをあらたにした。

「これはイザヤの預言かもしれん。うん、きっとそうだ。イザヤの預言通りだぞ」

だれかが言い、噂は風に乗って広がる。

旧約聖書のイザヤ書などの中に、つぎのような預言があったからである。

〝見よ、私はあなたより先に使者を遣わし、あなたの前に道を準備させよう。荒れ野で叫ぶ者の声がする。「主の道を整え、その道筋をまっすぐにせよ。」〟

と。この預言の中にある〝私〟は神自身であり〝あなた〟とは救世主のことだろう。神は救世主に先だって使者を荒れ野に送ると言っているのである。ヨハネの言行は、ここに記された〝使者〟とよく一致していた。

救世主の来臨は、人々のあいだで長く望まれていたことであり、その救世主が現われる前に、まず露払いのような役割を担《にな》った者が登場し、道を整えるという考えがあったのである。

ヨハネは人々の問いに答えて告げた。

「私よりも優れた方が、後から来られる。私などは、その方の履物の紐《ひも》を解く値打ちもない。私は水であなたたちに洗礼を授けるが、その方は聖霊で洗礼をお授けになランクのちがいを強調した。これも古い預言と一致している。

やがてイエスその人がヨハネの前に姿を見せて、

「私に洗礼を授けてほしい」

と願った。

襤褸《ぼろ》をまとっているけれど、とても神々《こうごう》しい風貌……。ヨハネはその人がだれか、直観的に覚《さと》ったにちがいない。畏敬《いけい》をあらわにして、

「とんでもないことです。私こそあなたから洗礼を受けるべきなのに……。あなたがわざわざ私のところへいらっしゃるなんて、おそれおおいことです」

と、むしろ辞退の姿勢を示したが、イエスは、

「今は止めないでほしい。正しいことをすべておこなうのは、われわれにふさわしいことなのだから」

と告げて、ヨハネから洗礼を受けた。イエスに洗礼を与えた人、洗礼者ヨハネと呼ばれる所以《ゆえん》である。

イエスの台詞《せりふ》は少しわかりにくいかもしれない。洗礼とは、原罪に対する許しを請《こ》い、悔悛《かいしゅん》を表わす儀式である。神の子イエスには罪の意識はなかっただろうが、イエ

スは全イスラエルに代ってみずから洗礼を受け、また心の正しい人々が同じようにヨハネの前で悔悛することを望んだのであろう。洗礼を終えたイエスが水の中からあがると、天が開き、聖霊がさながら鳩《はと》のようにくだって来てイエスを包む。神の声が聞こえた。

「あなたは私の愛する子、私の心に適《かな》う者」

と。このくだりは、マタイ、マルコ、ルカ、ヨハネ、四つの福音書がほとんど同じように描写し、伝えている。神の子イエス・キリストの来臨であり、新約聖書の中でもひときわ輝かしい一齣《ひとこま》となっている。

話は前後するが、マリアから生まれ、大工ヨセフを父として育てられたイエスがどんな幼少年時代を送ったのか、聖書にはほとんど記されていない。わずかに〈ルカによる福音書〉がつぎのエピソードを載せているだけである。

〝さて、両親は過越祭《すぎこしのまつり》には毎年エルサレムへ旅をした。イエスが十二歳になったときも、両親は祭りの慣習に従って都に上った。祭りの期間が終わって帰路についたとき、少年イエスはエルサレムに残っておられたが、両親はそれに気づかなかった。イエスが道連れの中にいるものと思い、一日分の道のりを行ってしまい、それから、親類や知人の間を捜し回ったが、見つからなかったので、捜しながらエルサレムに引き返した。三日の後、イエスが神殿の境内で学者たちの真ん中に座り、話を聞いたり質問したりしておられるのを見つけた。聞いている人は皆、イエスの賢い受け答えに驚いていた。両親はイエスを見て驚き、母が言った。「なぜこんなことをしてくれたのです。御覧なさい。お父さんもわたしも心配して捜していたのです。」すると、イエスは言われた。「どうしてわたしを捜したのですか。わたしが自分の父の家にいるのは当たり前だということを、知らなかったのですか。」しかし、両親にはイエスの言葉の意味が分からなかった。それから、イエスは一緒に下って行き、ナザレに帰り、両親に仕えてお暮らしになった。母はこれらのことをすべて心に納めていた。イエスは知恵が増し、背丈も伸び、神と人とに愛された〃

文中に〃両親〃とあるのは、もちろんヨセフとマリアである。少年イエスはこのときすでにして神殿を〃自分の父の家〃と認識していたわけであり、神の子の証明と読み取ることができる。しかし、率直な私見を述べるならば、このエピソードには、どことなく英雄の幼少年時代を美化して語った偉人伝の匂《にお》いがないでもない。

聖書以外の文献となると、この手の話はにわかに数を増し、少年イエスの姿が髣髴《ほうふつ》としてくるのだが、これらはさらに根拠が薄い。後世に作られたフィクションと、そう考えたほうがよい。一話だけを引用しておこう。

〝イエスは階上の屋根で遊んでいた。すると一緒に遊んでいた子供の一人が屋根から下に落ちて死んでしまった。それを見たほかの子供たちは逃げてしまい、イエスがひとりだけ立っていた。

すると死んだ子の両親が来て、彼に罪を帰した。そこでイエスは言った。「ぼくは決して突き落したりしなかった。」しかし彼らは罵った。

イエスは屋根から飛び降りて、子供の顔の傍《かたわ》らに立って大声で叫んで言った。「ゼノン」――というのは彼の名はそういったので――「起きてぼくに言ってくれ。ぼくがきみを突き落したのか。」すると忽《たちま》ち起き上がって言った。「いいえ、主よ、あなたは突き落したのでなく甦《よみが》えらせたのです。」人々はそれを見て驚愕《きょうがく》した。子供の両親は起こった奇蹟《きせき》を見て神を讃美《さんび》し、ひざまずいてイエスを礼拝した〟

これは聖書外典の一つ〈トマスによるイエスの幼時物語〉（引用は八木誠一・伊吹雄氏訳・教文館刊）にあるものだが、一読して、

――作り話だなあ――

と感ずるのではあるまいか。

大衆のニーズに応《こた》え、布教上の必要性からイエスの空白時代を埋めるために作られたフィクションと考えて、あながち見当はずれではあるまい。

はっきりと言えるのは、イエスは少年期を終える頃までナザレの父の家にいて父の仕事を習っただろうこと、四人の弟と、二人あるいは三人の妹がいたこと、そして父ヨセフは比較的早い時期に死んだこと、そしてイエスが若くして家を出たこと、くらいであろうか。そして、つぎにイエスが現われたのは西暦二八年、成人してヨハネから洗礼を受けたときである。イエスは三十代のなかばだったろう。すでにしてひとかどの人物になっていた。これ以後の二年数カ月がいわゆるイエスの公的生活と称される期間となるわけだが、その期間に示される深い宗教的見識と卓越した雄弁術は、いつ、どこで培《つちか》われたものなのだろうか。

神の子なのだから当然という解釈は別問題として謎《なぞ》と言えば謎である。イエスは、ある日生まれ故郷のナザレを出て、十数年ののち忽然《こつぜん》とヨルダン川のほとりに出現したのであった。一人のスーパーマンとして……。聖書はそれ以外の事情をほとんどなにも記していない。あとで作られたフィクションを除けば、この十数年については根拠となる史料もとぼしく文字通りの空白と言ってよかろう。

ヨルダン川の上流は思いのほか川幅が狭い。死海へと続く下流のほうは、かなり広くなっているが、現在この地域はイスラエルとヨルダンと、かならずしも友好的とは

言えない両国の国境になっているのだから、

――これで大丈夫なのかなあ――

と、私には川幅の狭さがひどく気がかりだった。

イエスが洗礼を受けたのは、ガリラヤ湖から南にくだって間もない流れの中だったろう。


――ここがその地です――

と、イスラエル旅行の道すがらガイドが教えてくれた。本当かな？　付近は公園のような造りになっていて、川は一部を堰《せ》きとめられて池のような澱《よど》みを作っている。水辺は半円形の回廊を造って白い柵《さく》がめぐらされている。コンクリートの階段が川の中へと落ちていた。回廊の水深は膝《ひざ》くらいまで……。ちょうど新生児が洗礼を受けていた。よくは見えなかったが、軽く産衣《うぶぎ》を水に浸すような動作だった。観光バスも二、三台止まっていて、二千年の昔を偲《しの》ぶよすがは見つけにくい。みやげもの店がしきりに客を呼んでいた。


が、話を二千年の昔に戻して……洗礼を受けたのち、イエスがヨハネについてどう言っているか、そのことにも触れておこう。

どことなく威厳のありそうなイエスを見て、ヨハネの弟子が二人、イエスのあとを

追った。追いついて、

「私どもは洗礼者ヨハネの弟子ですが、あなた様は、私たちが待ち望んでいた救世主なのでしょうか」

と尋ねた。イエスはこのときすでに病人をいやし盲目の人の目を開くなど、いくつかの奇蹟をおこなっていた。

イエスは答える。

「帰って、あなたたちが見聞きしたことをヨハネに伝えなさい。目の見えない人は見え、足の不自由な人は歩き、重い皮膚病を患《わずら》っている人は清くなり、耳の聞こえない人は聞こえ、死者は生き返り、貧しい人は福音を知らされる。私につまずかない人はさいわいである」

と、表現は少々晦渋《かいじゅう》だが、質問に対する答は「その通り」だろう。言外にそう告げている。

二人の弟子が立ち去ったあと、イエスは人々に向かってさらにこう続けて言った。

「あなたがたは何を見に荒れ野へ行ったのか。風にそよぐ葦《あし》を見るためか？　それともすばらしい衣裳《いしょう》を着た人を見るためか？　そうではあるまい。すばらしい衣裳を着て裕福に暮らす人なら宮殿に行けばいくらでもいる。わざわざ荒れ野へ行ったのは、預言者を見るためだったろう。それは、よい。だがヨハネは預言者以上の者だ。イザヤの預言の中に〝見よ、私はあなたより先に使者を遣わし、あなたの前に道を準備させよう〟と書いてあるが、その使者はヨハネのことだ」

「はあ?」

「よくよくあなたたちに言っておく。およそ女から生まれた者のうち、ヨハネより偉大な者はいない。しかし、神の国でもっとも小さな者でも、彼よりは偉大である」

「ははーッ」

歌舞伎座《かぶきざ》の舞台ならば、

「ナザレ屋!」

とかなんとか声がかかりそうな名調子である。イエスは当然のことながらなかなかの雄弁家であった。イエスが話したであろうアラム語からヘブライ語ギリシア語などなどを経て、現代の日本語に訳された文脈からは本当の味わいを賞味することはむつかしいだろうけれど「およそ女から生まれた者のうち、ヨハネより偉大な者はいない」なんてのは、まちがいなく大上段に構えた名調子である。やさしく言えば、人類の中でヨハネが一番偉い、ということである。

しかし、神の国では、どん尻《じり》でさえヨハネより上だ、とイエスの修辞法は続いている。そして、この文脈は言外に「私はその神の国の者なのだから」と言っているのである。このくらいの自信がなければイエス・キリストなんかやっていられない……ですね。

大衆指導のメカニズムとして考えたときヨハネの果たした役割は大きい。つまり……精神の偉大さは、目に見えるものではないだけに、本当に偉いのかどうかわかりにくい。

「俺《おれ》は偉いんだぞ」

と、みずから叫んでみても、説得力を欠く。ほかのだれかが、

「あの人は偉い」

と言って、はじめて大衆は耳を傾ける。そのだれか自身が人々に尊敬されていれば、なおのこと効果は高い。ヒーローの誕生には、たいていこういうメカニズムが作用している。イザヤの預言を信ずるかどうかはともかく、イエスより一足先にヨハネが登場し、道を整え、

「私などは、その方の履物の紐を解く値打ちもない」

と喧伝《けんでん》したことには一定の効果があっただろう。

卑近な家族社会の中にあっても、子どもたちに親を尊敬させたいと思うのなら、ま

ず母親が、

「お父さんは偉いのよ」

と、父親を尊敬してみせることが大切なのである。父親を尊敬する感情はそこだけにとどまらず、ひいては母親を尊敬する感情にもたやすく移って、親を敬うこととなる。母親自身が、夫である父親を小馬鹿《こばか》にしていては親への尊敬は生まれない。

さらに言えば、数十年前、私たちの国では指導者層みずからが天皇を敬い、それが大衆に指導者層を敬わせる手段として機能していた。階級的に支配する者と支配される者とのあいだに、尊敬を絆《きずな》とする上下構造を作るのに役立っていた。自分より上位の者を定めて、それに対してみずからが尊敬して見せることは大衆の中に尊敬による支配構造を確立するためにとても有効な手段なのである。上を拝めば、下も自分を拝んでくれる。そこに精神的ヒエラルキーが誕生する。

私はことのよしあしを言っているのではない。ただそういう心理的メカニズムが存在していることを言っているのである。

ヨハネ自身もあつく人々に尊敬されていた。ヨハネの死はイエスにとっても打撃だったろう。それとも受難を覚悟していたイエスには、それもまたありうべき俗世の障害の一つだったろうか。

サロメについても、もう少し触れておこう。

サロメ自身は残虐《ざんぎゃく》な事件の首謀者などにはなりえない、非力な娘でしかなかったろう。むしろ妖婦《ようふ》の名にふさわしいのは母親のヘロディアスのほうだったかもしれない。しかし、なにぶんにも実行されたのは、聖者の首を求めて、それを皿に載せておしいただくという充分にショッキングな出来事だった。しかも、それは華麗な舞いに対する報酬であった。凄惨《せいさん》ではあるが、花がある。妖《あや》しい花ではあるが、花にはちがいない。芸術家の興味をそそる。

時間の経過とともに、サロメその人が妖女に擬され、首をおしいただいて踊るイメージが加わった。画題にもしばしば扱われ、メムリンク、ティツィアーノ、モロー、ルドン、ビアズリなどなど数々の話題作を生んだ。文学作品にも登場したが、決定的な一打となったのは、やはりオスカー・ワイルドが、いかにも世紀末的な名作〈サロメ〉を書き一八九三年に発表したことだったろう。

聖書に題材を得た文学作品は無数にあるけれど、その中にあってワイルドの〈サロメ〉はひときわ妖しい光を放っている。これほど聖書的ではない作品もめずらしい。聖書には迷惑かもしれないが、これはまさしくワイルドの代表作であり、戯曲としてもよくできている。ドラマツルギーはむしろオーソドックスな手法を駆使して、古典的でさえあるのだが、内容はいかにも異端の名にふさわしい。サロメの踊る七色の舞いは、多くの場合すこぶる蠱惑《こわく》的であり、小田島雄志さん風に言えば、それを見るだけでも楽しめるといった、煽情《せんじょう》的な要素を含んでいる。

私自身もこれまでにいくつかの〈サロメ〉を見ているが、

――どんな踊りかなあ――

肌《はだ》もあらわに踊り狂う美姫《びき》の姿をいつも心に描いていた。そう、少々、よこしまな期待があった。

とはいえ、スティーブン・バーコフの演出による〈サロメ〉は、この点すこぶる控え目であった。

――こんな〈サロメ〉もあるのかな――

と、よこしまな期待は裏切られたが、演劇として上質なものだった。

ヨカナーンは、駱駝《らくだ》の毛衣をまとい、腰に革帯をつけ、信仰心の薄い人たちに対して悔悛《かいしゅん》を叫び続ける。

〝わたしのあとから、わたしよりも力あるかたが来られるであろう。わたしはそのかたの靴《くつ》の紐《ひも》をとくにも値せぬ者だ。そのかたが来られると、荒地《あれち》も喜びにみちるであろう。百合《ゆり》のように花咲いて栄えるであろう。盲《めし》いたる者の目も日の光を仰ぎ、聾者《ろうしゃ》の耳も開かれるであろう。嬰児《えいじ》も竜《りゅう》のほこらに手を置き、獅子《しし》のたてがみをとってこれをひいてゆくであろう〟（西村孝次氏訳・新潮文庫）

という台詞《せりふ》はワイルドが新約聖書から引用したものだろう。

だが、その叫びもバーコフのドラマの中では聖書のようには響かない。むしろこれは宗教という名の狂気なのではあるまいか。そんな気配が漂う。これにヘロデスの狂気、サロメの狂気、シリア人の狂気が加わって対立し、正常なのは王妃ヘロディアスだけなのかもしれない、とさえ感じた。登場人物は、ゆっくりと、さながらパントマイムのように動く。ヨカナーンの首も現われず、ただサロメの腕と肩の動きが、そこに首があることを伝えている。現実とはちがった、死の世界とも言うべき幻想的な唯《ゆい》美《び》主義が随所に漂っていた。狂的な台詞や狂的な行動も、なんの違和感もなく舞台上の現実として納まっていた。演出家の手腕を感ずると同時に、

——原作そのものがいいんだな——

ワイルドがさまざまな演出に耐えうる形で戯曲を作っておいたからだろう。

しかし、この戯曲は発表されたそのときから栄光に包まれていたわけではない。最初は英語ではなくフランス語で書かれたらしいが、なにしろ作者のワイルドが問題児

だった。同性愛のもつれから裁判、有罪、服役となるのは、こののちのことだが、〈サロメ〉の少し前に発表された〈ドリアン・グレイの肖像〉も背徳のそしりを受けていたし、〈サロメ〉はさらに聖者の首を所望し、それに口づけをして喜ぶというシーンを含んでいる。舞台の上で半裸の女が死首をおしいただいて頬《ほお》ずりをし、

〃ああ！　おまえはあたしにこの口をくちづけさせてくれようとはしなかったね、ヨカナーン。さあ！　いまこそ、そのくちづけするを。熟れた果物を嚙《か》むように、この歯で嚙むよ。そうだとも、おまえの口にくちづけするよ、ヨカナーン。あたしはそういうた。いわなかったかえ？　いうたよ。ああ！　いまこそ、そのくちづけを……でも、なぜあたしを見ないの、ヨカナーン？　あんなに恐ろしかった、あんなに怒りとさげすみにみちていたおまえの目も、いまはもう閉じている。なぜ閉じているの？　その目をあけて！　瞼《まぶた》をあげて、ヨカナーン！　なぜあたしを見ようとしないの？　あたしを見まいとするところをみると、ヨカナーン、あたしがこわいの？……それに、毒をはく赤い蛇《へび》のようであった、おまえの舌、それも、もはや動かず、いまはもうなにもいわないのだね、ヨカナーン、あたしに毒をはきかけたあの真紅の蝮《まむし》も。ふしぎではないか？　もはや赤い蝮が動かないとは、なんとしたことなの？……おまえはあたしを振って振って振りぬいた、ヨカナーン。あたしをしりぞけた。あたしをののしっ

た。売女《ばいた》か、淫婦《いんぷ》のように扱った、このあたしを、ユダヤの王女、ヘロデヤの娘たるこのサロメを！　でも、ヨカナーン、あたしはまだ生きている、だのに、おまえは、おまえは死んでしまい、おまえの首はあたしのものになっているのだよ。これをどうしようと、あたしの思いのまま。犬にでも空の鳥にでも投げてやれる。犬の食い残したものは、空の鳥が食いつくすだろう……ああ、ヨカナーン、ヨカナーン、おまえこそ、あたしの愛した、たったひとりの男であった。ほかの男という男はあたしにはいとわしい。けれど、おまえは、おまえだけは美しかった！〃（引用は前に同じ）

と叫ぶのだから、ピューリタニズムの染《し》み込んだ十九世紀のイギリス人社会で評判のよかろうはずがない。当初に予定した上演は禁止され、イギリスでの上演はワイルドの死後数年をへてからだった。初演はフランスで、一八九六年。ワイルドは獄中で好評の知らせを聞いたという。一幕物のせいもあって上演しやすく、台詞も際立《きわだ》っている。人物の対立も劇的な構成を作り、見せどころもきっかりと用意してある。好みに差があるにせよ、名作の名にふさわしい戯曲であり、今なお世界的なレパートリィとしていろいろなところで上演されているのも頷《うなず》ける。折しも今は二十世紀の世紀末、もう一つの〈サロメ〉を見る機会もきっとあるだろう。そのときには、もう少し聖書的な〈サロメ〉になっているだろうか。それとも、さらに前衛的な演出になっているだろうか。演出者の意向によって大きく変りうることも、演劇の懐《ふところ》の広さであり、楽しさである。ワイルドの〈サロメ〉は、けっして聖書的な作品ではないけれど、それを鑑賞するためにはやはり聖書の知識があったほうがよい。そういう芸術作品は、小説に戯曲に絵画に、いくらでもある。私のエッセイの目的もそこにあると言ってよいだろう。

最後にヨハネという名についても付記しておこう。新約聖書には四人のヨハネが登場する。と言うより代表的なものとして四つのヨハネを区別しておいたほうがよいだろう。

①は、いま述べた洗礼者のヨハネである。イエス・キリストの露払い役であり、ヘロデスに殺されている。むしろ旧約聖書的な預言者であったが、それをふまえながら同時に新約聖書への橋渡しをおこなっている。

②は使徒ヨハネ。その名の通りイエス・キリストの直弟子である十二使徒の一人であり、ゼベダイの子ヨハネとも呼ばれる。最後の晩餐《ばんさん》の絵があれば、彼はそのどこかの席にすわっているはずである。

③は〈ヨハネによる福音書〉の著者である。この福音書の著者は②であるという説

もあるが、辻褄《つじつま》のあわないところもあって、一応は別人格と考えたほうがよいだろう。④は〈ヨハネの黙示録〉の著者であり、これもまた②あるいは③と同じという説もあるが、別人と考えるほうが有力である。

新約聖書の目次を見ると、ほかに〈ヨハネの手紙一、二、三〉があるが、この筆者は②あるいは②に近い人物とされている。短い手紙であるし、わざわざ別人として立てる必要もあるまい。①から④まで四人のヨハネを想定しておけば、読みやすいのではあるまいか。

なお、ヨハネは英語表現では、ジョンとなる。ジョンなんて……聖者の名にしては、なんだか軽すぎて、日本人には少々なじめないのではあるまいか。

3 ガリラヤ湖

月が雲を割ってポッカリと湖上に懸かっていた。

季節は夏の盛り。湖面を吹き抜ける風がなま暖かい。水のほとりにまでホテルの遊歩道が伸びていて、庭園の常夜燈《じょうやとう》が湖畔にくつろぐ人影を疎《まば》らに映しだしていた。薄闇《うすやみ》に包まれたリゾート地の風景は、けっしてめずらしいものではなかったけれど、眼《め》の前に広がる湖がただの湖ではない。

一九九〇年の夏、私はガリラヤ湖の湖畔に立っていた。ご承知の通り、この周辺は新約聖書とすこぶるかかわりの深い地域である。

ガリラヤ湖はイスラエルの北東部にあって、西側に少し脹《ふく》らんだ楕円形《だえんけい》、竪琴《たてごと》の形とも言われている。東西に十二キロ、南北に二十キロ、猪苗代湖《いなわしろこ》よりひとまわり大きい。私が滞在したホテルは、その西に脹らんだ岸辺にあって、キブツが経営するリゾート施設だった。

キブツとは二十世紀の初頭にイスラエルに誕生したユニークな生活共同体である。ヘブライ語で集団の意味を持つとか。みんなで働き、みんなで分かちあい、私有財産を持たない。村一つが社会主義体制を採ったようなものである。規模は人口五、六十人から二千人くらいのものまで大小さまざまだが、国内に二百あまりの数を数えて、今も活発な活動を続けている。

ガリラヤ湖畔のキブツ・ホテルは、正直なところサービス万能のシティ・ホテルに比べれば、細かい心遣いなどに多少の不足があったけれど、設備そのものはわるくない。料金の安さも格別である。加えて地の利の面から言っても、ここは聖地の観光に適していた。

「これがガリラヤ湖ですか？」

「はい。たくさんの奇蹟《きせき》を目撃した湖です」

と、ガイド役のTさんが笑った。

「そのようですね」

遠くに舟の光が蠢《うごめ》いている。少時、二人並んでそれを眺《なが》めていたが、Tさんがおもむろに呟《つぶや》いた。

「一つ一つの奇蹟に目くじらを立ててみても意味がないと思うんですよ」

「ええ？」

「作り話もあっただろうし、尾鰭《おひれ》のついた話もたくさんありそうだから」

Tさんは、私などとはちがって、幼い頃《ころ》からずっと聖書に親しんでいる。どれほどの信仰かわからないが、聖書の中身をよく知っている。

「はい」

　と私は頷いた。

「病気は治せたでしょうね。病いは気からって言いますから。心因性の病気はたくさんあるし、暗示によって治ることもあったんじゃないですか。とりわけイエスのような人に言われれば」

「今だってそういうことがあるんだから、昔はなおさらそうだったでしょうね」

「病気だけじゃなく聖書に書かれているたくさんの奇蹟ですけどね……」

「はい？」

「あれは大衆を相手に、イエスこそ神の子だと、そう信じ込ませるためのプロセスだと思っていたんですけど……」

　と、照れるように言って口をつぐむ。

　私はTさんの顔を覗《のぞ》き込んで、

「思っていたんですけど？」

　と、先をうながした。

「もちろん、それもありますけど、もう一つ、あれは、イエス自身が、自分こそ神の使命を受けた者だと、そう自分で信ずるためのプロセスだったのかもしれませんね。

奇蹟を起こすたびに確信が深まっていって……。そんな気がするんですよ」

「なるほどね」

私は相槌《あいづち》を打ったが、このときは、Tさんの言葉の意味を正確には理解していなかっただろう。

が、それについてはあとで触れるとして……私はこのホテルの売店で一枚の絵皿を買った。ささやかなスーブニール。絵皿は今でも私の書斎の壁に飾ってある。図柄《ずがら》は中央にバケツのような容器があって、その中にまるいものが三、四個入っているのが見える。パンのつもりらしい。バケツの両脇《りょうわき》には魚が二匹、頭を上にして向かいあっていて、これはガリラヤ湖特産のセント・ピーターズ・フィッシュだろう。

「それ、見たことがあるわ」

と、イスラエルを旅した人なら、おっしゃるかもしれない。絵皿のおみやげをもらった人もいるかもしれない。この図柄はイスラエル観光の道中で時折見かけるものなのだから。

ガリラヤ湖の西岸は名所の多いところだが、その一つにパンの奇蹟の教会があって、私が泊まったホテルからも、そう遠くはない。行ってみると、教会の入口に近い床に、たったいま記した図柄のモザイクがほどこしてある。現在は少々色あせているけれど、かつては充分に美しいものだったろう。ビザンチン様式かな。おみやげの絵皿は、このモザイク模様を盗用したものだろう。薄茶色の陶器に青と赤の線を滲《にじ》ませて、どことなくかわいらしい。

パンと魚の奇蹟……。新約聖書によれば、マタイもマルコもルカもヨハネも、四つの福音書は同じようにこのエピソードを掲げているのだが、ここでは右代表として〈マルコによる福音書〉第六章から引用しておこう。

〝イエスは舟から上がり、大勢の群衆を見て、飼い主のいない羊のような有様を深く憐《あわ》れみ、いろいろと教え始められた。そのうち、時もだいぶたったので、弟子たちがイエスのそばに来て言った。「ここは人里離れた所で、時間もだいぶたちました。人々を解散させてください。そうすれば、自分で周りの里や村へ、何か食べる物を買いに行くでしょう。」これに対してイエスは、「あなたがたが彼らに食べ物を与えなさい」とお答えになった。弟子たちは、「わたしたちが二百デナリオンものパンを買って来て、みんなに食べさせるのですか」と言った。イエスは言われた。「パンは幾つあるのか。見て来なさい。」弟子たちは確かめて来て、言った。「五つあります。それに魚が二匹です。」そこで、イエスは弟子たちに、皆を組に分けて、青草の上に座らせるようにお命じになった。人々は、百人、五十人ずつまとまって腰を下ろした。イエスは五つのパンと二匹の魚を取り、天を仰いで賛美の祈りを唱え、パンを裂いて、弟子たちに渡しては配らせ、二匹の魚も皆に分配された。すべての人が食べて満腹した。そして、パンの屑《くず》と魚の残りを集めると、十二の籠《かご》にいっぱいになった。パンを食べた人は男が五千人であった〟

イエスが舟を降りたのはガリラヤ湖の北西の岸だったろう。そこから丘陵地を少し登ったあたりが……つまり、現在、パンの奇蹟の教会の建つところが、このエピソードの舞台だったろう。文中にあるデナリオンはローマの銀貨で、一デナリオンが一日の労賃だった。

イエスは丘陵地の高みに立って、自分を追って来た大衆を相手に教えを垂れ、病いを癒《いや》し、最後にパンと魚の奇蹟を演じてみせた。

その魚、セント・ピーターズ・フィッシュは、ガリラヤ湖の漁師であった使徒ペテロの名にちなんで〝聖ペテロの魚〟と命名されたのだろうが、成長すると目の下二十センチくらい、黒鯛《くろだい》を想像していただけば、当たらずとも遠からず。白身の豊富な魚で、塩焼にしレモンを垂らして食べると、なかなかの美味である。しかし、五個のパンと二匹の魚では……イエスの奇蹟を信ずるとしても、五千人はちょっと誇大表示ではあるまいか。五千人の群衆となると、整理をするだけでも相当に厄介《やっかい》である。

湖の西側一帯をガリラヤ地方と呼び、その南にサマリア地方があり、さらにその南に聖都エルサレムを擁するユダヤ地方があった。当時の感覚で言えば、ユダヤ地方が政治経済文化の中心であり、一番レベルが高い。ついで湖畔にたくさんの港町を持つガリラヤ地方が開けていただろう。サマリア地方となると、

――ろくなもんじゃないな――

と、少なからず軽蔑《けいべつ》されていたらしい。

イエスはガリラヤ地方で多く布教し、やがてエルサレムへとのぼって行く。故郷のナザレもガリラヤに属するが、ここではあまりめぼしい活動を示していない。イエス自身が「預言者は故郷では敬われない」と言っている通り、鼻垂れ小僧の時代を知られている土地というのは勝手がわるいものだ。ナザレの会堂でイエスが教えを述べたときのことだが、聴衆の反応は、

「なんだ、あいつ、偉そうなことを言って。たかが大工の伜《せがれ》じゃないか。お袋はマリアで、弟たちも、俺《おれ》、よく知っているぜ。たいしたもんじゃないよ」

二千年も昔の出来事だが、こうした感情はいつの時代でも似通っているだろう。

だが、それはともかく、しばらくはイエスがガリラヤからエルサレムにかけて、ところどころで示した奇蹟を追ってみよう。

まずカナの婚礼。カナはガリラヤの町で、湖岸から西へ二十キロ、ナザレから北へ十五キロほど行った位置にある。ヨルダン川で洗礼を受けてから少したって、イエスは招かれてカナに赴き、知人の結婚式に出席した。幾人かの弟子たちも一緒だった。母のマリアもそこに来ていた。親戚《しんせき》筋の慶事だったろう。マリアはキッチンに陣取って裏方の世話を務めていた。

祝宴が進むにつれ、酒が足りなくなった。

「おーい、葡萄酒《ぶどうしゅ》を頼む」

そう言われても、酒がめの底には、いくらも残っていない。マリアがイエスに告げた。

「葡萄酒がなくなりました」

イエスは答えた。

「婦人よ、私とどんなかかわりがあるのです。私の時はまだ来ていません」

この言葉は、すぐには意味がわかりにくいけれど、とりあえずは〈ヨハネによる福音書〉第二章に書かれている通りに記しておこう。

マリアは周囲の召使いたちに、

「この人が、なにか言いつけたら、その通りにしてください」

と命ずる。そばには大きな石がめが六つ置いてあった。それを指さしてイエスが、

「いっぱいに水を入れなさい」

と言う。召使いたちが言われた通りに六つの石がめに水を満たすと、今度は、

「さあ、それを汲《く》んで宴会の世話役のところへ持って行きなさい」

と、イエスは命じた。宴会の世話役が、味見をすると、

「うまい！」

水は葡萄酒に変っていた。

なにも知らない世話役は、花婿《はなむこ》を呼んで、

「いやあ、まいった、まいった。どこの家でも、はじめはよい酒を出すけど、酔いがまわった頃になると、わるい酒に替えたりする。ところが、あんたは偉い。ますますよい酒を出してご馳走《ちそう》してくれる」

と讃《ほ》めそやす。花婿もなにを言われたのか、よくわからなかったろう。

しかし、弟子たちは知っていた。水が酒に変えられたことを……。

だが、話を少しもとに戻して、イエスと母マリアが交わした会話だが……どことなくちぐはぐである。

聖書のような書物にあっては、想像をめぐらすこと自体が一つの解釈であり、迂闊《うかつ》

な解釈は不遜《ふそん》のそしりを招きかねないが、あえて想像をたくましくしてみれば、イエスとマリアはこの日、久しぶりに顔をあわせたのではなかったか。十数年前に、イエスが両親の家を出て以来はじめて……。イエスはひとかどの人物に育っていた。風貌《ふうぼう》を見れば、見当がつく。

祝宴の家で、久しぶりに再会して、

――あら――

と母は思い、息子もまた、

――おや、お母さんが来てるのか――

と気づいたが、そのときは言葉を交わさなかったのではあるまいか。イエスが両親の家を出た背景にはなにかしら込みいった事情があったろう。そのことを考えると大勢の人の前で母子が話しあうには、ためらいが生じてしまう。祝宴の席は、それにふさわしい雰囲気《ふんいき》でもなかった。二人は目顔で頷《うなず》きあうだけだった……。

そして、そのあとはじめて交わされた会話が、石がめのそばだったのではあるまいか。母はどことなく他人行儀の息子に向かって、

「葡萄酒がなくなりました」

と告げる。言葉の意味は、

——どうしましょう？　なんとかしてくださいな——

であり、もちろん、それはその通りの意味だったが、母は言外に息子の反応を……反応に籠《こ》められるであろう感情をさぐり求めていたにちがいない。

イエスの反応は冷ややかだった。少なくとも表面的には、そう感じられて当然だろう。「婦人よ」とは、子が母に向かって呼びかける言葉ではない。わが家で息子がこんなことを言ったら「お前、なに考えてんだ」すわりなおして説教をしなければなるまい。

アラム語で話していたであろうイエスが、このとき実際になんと呼び、それがどんなニュアンスを持っていたか私は知りえないが、英語訳によれば、このくだりは、

“Woman, what have I to do with thee?
Mine hour is not yet come.”

となっているし、フランス語訳もよく似ている。聞くところによれば、現代のヘブライ語でも同様らしい。

原義はわからないが、この台詞《せりふ》の解釈はイエスの生涯《しょうがい》と照らしあわせて考察されなければなるまい。標準的な説明によれば……すでに洗礼を受けていたイエスは、きびしい神の使命を担《にな》う存在であった。それを強く自覚していた。神の子である以上、浮

き世の母と子の関係など超越しなければなるまい。「婦人よ」という第三者的な呼びかけには、こうした自覚と、

——お母さん、実はそうなんですよ——

という母への説得が含まれている。

さらに追い討ちをかけるようにイエスは「私はあなたとどんな関係があるんですか。無関係ですよ」と続けている。日本語の訳はわかりにくいが、英文にはそれがはっきりと現われている。これもまたわが家だったら、息子を叱《しか》らねばなるまい。

マリアのほうは厨房《ちゅうぼう》の手配を頼まれていたらしいが、イエスの言いぶんは「そもそも私とあなたは無関係なんだから、相談をされても困ります」なのである。

これに比べれば、そのあとの台詞はまだしもわかりやすい。「私の時」つまり「私のなすべきことをなす時期」が、まだ熟していないと告げているのだから。この時点ですでにイエスはゴルゴタの丘へ到《いた》る使命を自覚していたのだろうか。明確に自覚していたかどうかはともかく、漠然《ばくぜん》としたスケジュールはすでに持っていただろう。言葉の背後にそれが感じられる。

この台詞にもかかわらず、イエスが水を葡萄酒に変えたのはなぜだったろう。

学校の試験ならば、

〃つぎの①〜④から正解を選べ。
①「私の時」はまだ来ていないけれど、母の立場を考え、また祝宴のムードをそこなわないために、あえて奇蹟をおこなった。
②救世主としての使命を遂行するためにも、この時点で神のみわざを弟子たちに示しておいたほうがよいと考えた。
③イエスは自分の言葉通り、なにもせずに祝宴の家を立ち去ったのであり、宴席に運ばれた葡萄酒は、ほかの理由で（たとえば隠した酒があった、酒屋へ急いで買いに走った、など）供給されたのだろう。それがのちにイエスの奇蹟として伝えられた。
④水は旧約聖書に記された古い律法を表わし、それが滋味豊かな新しい葡萄酒、つまり新しい福音に替えられたことを伝えている。祝宴の席でイエスが、出席者たちに新しい福音を教え、その喜びを分かちあったのであり、水が酒に変ったのは、一つの寓《ぐう》意《い》でしかない〃ほかにも選択肢《せんたくし》があるのかもしれない。答は読者諸賢の判断に委《ゆだ》ねよう。

イエスが病人や身体《からだ》に障害を持つ人を治したエピソードは、文字通り枚挙にいとまがないほど数多く聖書の中に記されている。その一つを紹介しよう。マタイ、マルコ、ルカ、三つの福音書に記されているエピソードだが、三つをとりまとめて、見て来たように書き直せば……。

ある日のこと、イエスはカペナウムにいた。カペナウムはガリラヤ湖北端の町で、現在に残る遺跡を見ても相当ににぎやかな港町だったろう。イエスの弟子ペテロとアンデレ兄弟の故郷であり、イエスもここを生活の拠点としていた時期があった。

毎度のことながら、その日も、イエスの住む家のまわりに大勢の人が集まって来て騒いでいる。

「すごい人らしいぞ。救世主かもしれん。病気を治すんだとさ」

イエスの噂《うわさ》はすでに広まっていた。ある者は教えを聞こうとし、ある者は病いを治してもらおうとして、さらに野次馬やユダヤ教のスパイなども加わって、イエスの行くところは、いつも人の群で溢《あふ》れていた。

「担架が来たぞ」

「戸板の上に人を載せているんだ」

四人の男が、中風を患《わずら》った病人を運んで来たが、家の出入口付近は人が多くて中へ入れない。

「よし、屋根をはがせ」

四人の男たちはどうしても病人を治してほしかったのだろう。屋根のほうは、あとで修理をしておけば、それですむ。

「ホイサッサア」

「エッサカサア」

屋根に穴を開け、病人を床《とこ》ごとイエスの前に吊《つ》りおろした。荒っぽいやりかただが、彼等の願いがそれほど真摯《しんし》なものだったと理解していただきたい。当時の住居はそんな作業がむつかしくないほど簡素に造られていたのである。イエスも病人の懇望と、四人の男たちの友情を感じ取ったのだろう。

「元気を出しなさい。あなたの罪は赦《ゆる》された」

と病人に告げた。

そばで聞いていたユダヤ教の律法学者が、

「けしからん。神を冒瀆《ぼうとく》している」

と、騒ぎだす。

イエス・キリストとユダヤ教の関係は少々ややこしい。イエスの教えであるキリスト教は、たしかにユダヤ教を母体としているが、その一方でユダヤ教に対する強烈な批判でもあった。キリスト教の教典となっている旧約聖書と、ユダヤ教の教典タナクとは内容的によく似ているけれど、キリスト教の考えでは、旧約聖書は神との古い契約であり、新約聖書はその名の通り神との新しい契約なのである。古い契約はおおいに改められなければいけない。

イエスが生きて活動していた時代には、ユダヤ教は絶大な権威を担っていたから、それに楯《たて》をつく者は、

——ふとどき者め——

激しい非難と迫害を受けたのも、充分に頷けることであった。イエス自身もその言動から判断してユダヤ教への反逆者と言われて当然の部分をおおいに持っていた。

ひとくちにユダヤ教と言っても、パリサイ派だの、サドカイ派だの、いくつかの教派があって、イエスへの対応も微妙に異なっていたのだが、ここではそんな細かいことにまで拘泥《こうでい》する必要もあるまい。古い教えを頑《かたく》なに守る教条主義者たちが、新興のイエスに対して近親憎悪《ぞうお》にも似た露骨な反発を覚えていたことを頭に留めておいていただきたい。

イエスの住まいを覗《のぞ》いていたユダヤ教の律法学者たちは、イエスが何者か知らなかった。イエスの卓越した能力を知らなかった。こざかしい男が不遜の教えを垂れている、と苛立《いらだ》っていた。説教を聞きながらいずれ尻尾《しっぽ》を摑《つか》まえてやろうと狙《ねら》っていたの

である。

果せるかな、狙い通りにイエスが「あなたの罪は赦された」などと言ったものだから「プレイ・バック、プレイ・バック、今の言葉、プレイ・バック」山口百恵さんの歌にそんなのがありましたなあ……。いきり立って詰め寄った。

罪を赦すのは神の仕事であり、神のみに許されたことであった。どこの馬の骨かわからない若僧にそんな崇高な役割が許されてよいものか。神の権限を犯す重大な罪悪だったのである。神を冒瀆するのは人殺しより重い罪だった。

イエスは敢然として答える。

「あなたたちはなにを考えているのか。中風の病人に向かって〝あなたの罪は赦された〟と言うのと〝起きて、歩け〟と言うのと、どちらがやさしいことだろうか。私がこの地上で罪を赦す権威を持っていることを知らせてあげよう」

イエスの言葉は、よく言えばいつも含蓄に富んでおり、見方を変えれば、

――韜晦《とうかい》趣味じゃないの――

と頭をかかえこんでしまうことも多いのだが、宗教とはもともとそういうものなのかもしれない。私なりの解釈を述べれば、イエスが「〝あなたの罪は赦された〟と言うのと〝起きて、歩け〟と言うのと、どちらがやさしいことだろうか」と告げたのは、

反語的な用法であり、神の眼《め》から見れば、どちらも同じことなのだ、と考えてよいだろう。当時、病気は神に対する罪に由来すると考えられていたから、罪が赦されることと病気が治ることのあいだには、イコール記号が通用したわけである。それをこの場で例証するためにイエスは中風の病人に向かって告げた。

「起きあがって床を担《かつ》ぎ、家に帰りなさい」

と。病人はたちまち立ちあがり、床を担ぎあげてスタスタと家へ帰って行った。神性を担《にな》う者であればこそ、このイコール記号を置くことができる、と話の論理は続くわけである。

「嘘《うそ》」

「信じられない」

人々の驚きと賛美はたいへんなものだった。こうしてイエスの神性が深く人々の胸に印象づけられた。

また、あるとき、これも同じカペナウムでの出来事だが、ローマの百人隊長がイエスのもとにやって来て、

「主よ、私の部下が中風を病んで苦しんでいます」

と訴えた。マタイとルカが記していることとである。

ローマの軍制を略記すれば、軍団《レギオン》は六千人を擁する連隊的な組織であり、これが十に分かれて六百人の大隊、三つに分かれて二百人の中隊、さらに二つに分かれて百人の小隊を構成していた。百人隊長はさしずめ小隊長と言った役どころである。末端の指揮官であったが、ローマ人そのものが植民地的な支配をおこなっている土地では、百人隊長もそれなりの権力を握っていた。

その百人隊長がわざわざイエスを訪ねて来たのである。よい人柄《ひとがら》の男だったろう。敬虔《けいけん》な気持ちが彼の態度によく現われていた。イエスは感ずるところがあって、

「じゃあ、行って私が治してあげましょう」

と告げたが、百人隊長のほうは、

「主よ、私はあなたを自分の家にお迎えできるような者ではありません。ただ、ひとことおっしゃってください。私も権威のもとにある者ですが、部下に対して〝行け〟と言えば彼は行きますし〝来い〟と言えば来ます。〝これをやれ〟と命じれば、その通りに動きます。お言葉だけをくだされば充分です」

と、あくまでも謙虚である。

二人の置かれた立場をしっかりと想像しないと、このエピソードはわかりにくい。

ローマの軍人はユダヤ人に対して権威を振りかざし、さぞかし威張り散らしていただろうし、一方、イエスのほうは偉い預言者かもしれないが、異教徒から見ればただの放浪者のようなものである。そのローマ軍の百人隊長がイエスの前に頭を垂れたのだから、イエスは、

――この男、脈があるぞ。神を敬う心を持っている――

と思ったにちがいない。

イエスは周囲を見まわして叫んだ。

「はっきりと言っておく。イスラエルの中でさえ私はこれほどの信仰を見たことがない。東の国から西の国から大勢の人がやって来て、いつか天国の席に加わるだろう。よくよく聞いておいてほしい。イスラエルの民といえども、神をそこなう者はそのときになって歯ぎしりをするばかりだろう」

それからイエスは百人隊長のほうをふり向いて、

「さあ、帰りなさい。あなたが信じた通りのことが起こるように」

と告げ、神に祈った。

ちょうど、そのとき、百人隊長の家で部下の病いが治った。

教義史的に見れば、このエピソードはイエスの説く神が旧約の時代のようにユダヤ

人にだけ手をさし伸べるものではなく、広く、平等に、すべての人々に及ぶものであることを示しており、画期的な意味を持つものであった。旧約とちがって、新約は万民のものなのである。

イエスはさらに旅を続けながら病人を治し、障害者を助け、死者まで甦《よみがえ》らせるが、それは省略して、つぎにはガリラヤ湖で起きた、もう一つの有名な奇蹟《きせき》を引用しておこう。

〝それからすぐ、イエスは弟子たちを強《し》いて舟に乗せ、向こう岸へ先に行かせ、その間に群衆を解散させられた。群衆を解散させてから、祈るためにひとり山にお登りになった。夕方になっても、ただひとりそこにおられた。ところが、舟は既に陸から何スタディオンか離れており、逆風のために波に悩まされていた。夜が明けるころ、イエスは湖の上を歩いて弟子たちのところに行かれた。弟子たちは、イエスが湖上を歩いておられるのを見て、「幽霊だ」と言っておびえ、恐怖のあまり叫び声をあげた。イエスはすぐ彼らに話しかけられた。「安心しなさい。わたしだ。恐れることはない。」すると、ペトロが答えた。「主よ、あなたでしたら、わたしに命令して、水の上を歩いてそちらに行かせてください。」イエスが「来なさい」と言われたので、ペトロは舟から降りて水の上を歩き、イエスの方へ進んだ。しかし、強い風に気がついて怖くなり、沈みかけたので、「主よ、助けてください」と叫んだ。イエスはすぐに手を伸ばして捕まえ、「信仰の薄い者よ、なぜ疑ったのか」と言われた。そして、二人が舟に乗り込むと、風は静まった。舟の中にいた人たちは、「本当に、あなたは神の子です」と言ってイエスを拝んだ〟

これもカペナウムに近い湖上での出来事だったろう。一スタディオンは百八十五メートル。舟は岸から一キロほどのところにいたらしい。

この引用は〈マタイによる福音書〉第十四章からだが、同じ出来事を〈マルコによる福音書〉第六章はこう記している。

〝それからすぐ、イエスは弟子たちを強いて舟に乗せ、向こう岸のベトサイダへ先に行かせ、その間に御自分は群衆を解散させられた。群衆と別れてから、祈るために山へ行かれた。夕方になると、舟は湖の真ん中に出ていたが、イエスだけは陸地におられた。ところが、逆風のために弟子たちが漕《こ》ぎ悩んでいるのを見て、夜が明けるころ、湖の上を歩いて弟子たちのところに行き、そばを通り過ぎようとされた。弟子たちは、イエスが湖上を歩いておられるのを見て、幽霊だと思い、大声で叫んだ。皆はイエスを見ておびえたのである。しかし、イエスはすぐ彼らと話し始めて、「安心しなさい。わたしだ。恐れることはない」と言われた。イエスが舟に乗り込まれると、風は静まり、弟子たちは心の中で非常に驚いた。パンの出来事を理解せず、心が鈍くなっていたからである〟

ベトサイダは、先に述べたパンの奇蹟の教会が建つあたりだから、カペナウムからだと湖畔の曲線をななめによぎって舟を進めたことになる。向こう岸と言ったのは、この意味であり、湖の対岸ということではない。

同じ出来事を記していても微妙に異なるのは福音書の特徴であり、そこから見えてくるものもあれば、わかりにくくなってしまうケースもある。

ここではマタイのほうがくわしい。イエスが湖上を歩いたこと、そして嵐《あらし》を静めたこと、この二つは同一だが、マタイはペテロの体験を加えている。嵐は偶然静まることもあろうけれど、水の上を歩くのはただごとではない。文字通りの奇蹟である。ある解釈によれば、このくだりは事実を書いたのではなく、初期の教会は嵐の中の小舟のように揺れていたが、イエスはかならず信ずる者たちのところへ助けに来てくれる、ということなんだとか。もしそうなら、はっきりとそう書いておいてくれればいいのに……。困ったものだ。

マタイが記したイエスとペテロのやりとりは、さらに悩ましい。ペテロははじめ少しだけ水の上を歩いた。ところが、恐怖を覚えたとたん沈みかけた。この文脈から判断すると、イエスを信じていれば最後までペテロは水の上を歩けたのである。イエスに対して疑いを持った瞬間に、沈みかけたのである。イエスの嘆きはそこにあった。だから、と私は思うのだが、イエスを本当に心から信じているならば……つまり自然の法則よりもイエスのほうを強く信じているならば、今でも私たちは水の上を歩けるのかもしれない。嘘だと思うなら、あなたご自身で実験してみたらいかがだろうか。

「馬鹿《ばか》も休み休み言えよ。水の上を歩くなんて、できっこないよなあ」

百人中百人が疑いを持つだろう。千人中千人が信じられないだろう。だから沈むのである。あははは。おわかりだろうか。詭弁《きべん》かもしれないが、もし一点の曇りもない、完全な信仰があれば、奇蹟は起きる。奇蹟の起きないこと自体が信仰の不足であり、奇蹟を書き示すのは私たちに対する永遠の踏み絵であると、そういう考えかたも成立つだろう。

「あなた、信じられますか」

と問いかけているのである。疑うのは、それだけ信仰が薄いから、と、そういうロジックがつぎに待っているわけである。まったくの話、今でもイエスはあなたを水辺に連れて行って言うかもしれない。

「歩いてごらんなさいよ。絶対に歩けますから。私が保証しますよ」

「本当かなあ」

「本当ですとも」

ところが、現実にはだれもそれを信じられない。だから沈むのである。

「よし、信じてやる。信じればきっと歩けるんだな」

でも……残念でした。いくら気張ってみてもあなたは信じることができないじゃないですか。ほら、ほら、そうでしょ？

こんなふうに考えてみると、このガリラヤ湖上のエピソードはなかなか興味深い側面を持っている。


福音書に記されている奇蹟は、のべ数にして六十件ほど。重複しているものも多いから、実数としては三十件あまりだろう。

大別してパンや葡萄酒《ぶどうしゅ》など飲食物を増やす話、中風や重い皮膚病や癲癇《てんかん》など病気を治す話、嵐や日照りなど災害を取りのぞく話などに分けられる。身体障害者を救う話や死者の蘇生《そせい》は病気を治す話に含めてよいだろう。

解説書を読み漁《あさ》っていると、それぞれの奇蹟について合理的な説明を加えているケースも散見される。古い時代にあっては心因性の疾患や障害も多々あっただろうから、

暗示による治療も一定の効果を示しただろう。こうした説明はそれなりに納得がいくが、ときには、

――ちょっとひどいな――

牽強付会《けんきょうふかい》に驚くこともないではない。

「だから、俺《おれ》、キリスト教が厭《いや》なんだよな。なんで水が葡萄酒に変るんだよ。なんで死んだ者が生き返るんだよ。水の上なんか歩けるわけがないだろ」

そんな声が聞こえてくるような気がする。聞こえる以上にそう思っている人は多いだろう。

私も若い頃《ころ》はそうだった。私は科学を信ずる少年であったから、科学少年の眼には聖書は眉唾《まゆつば》ものに見えたのである。

だが、今は少しちがう。奇蹟は聖書に記された通りには起こらなかったろうけれど、

――そんなことは、さして重要ではない――

と思っている。少なくとも奇蹟への疑問を根拠にして聖書そのものを否定するほど、それは本質的な問題ではない、と現在の私は考えている。

大切なのは、原因がなんであれ人々に奇蹟を信じさせるような偉大なイエスが実在していたことのほうである。事実に近い奇蹟もあったろうが、まるっきりの作り話も

あっただろう。だが、いずれにせよ、奇蹟のエピソードは一つの比喩《ひゆ》であり、イエスの偉大さを大衆に伝えるためには、こうした伝達方法が適していた、ということだろう。事実の報告だけが伝達の手段ではあるまい。小説でしか伝えられない真実というものが現代でもあるではないか。

福音書とは、イエスの言行を伝え、教義を説き、そしてもう一つ〝イエスが神の子である〟ことを説得するものである。奇蹟の記述は、この最後の目的に直結している。いろいろな読みかたがありうるだろう。

——イエスはどういう人だったろう——

このごろになって私は、ガリラヤ湖の湖畔で聞いたTさんの言葉をよく思いだす。この章の冒頭の部分を見ていただきたい。あのときはぼんやりと聞いていただけだったが、今はもう少し思い入れが深くなっている。

私は信仰を持たない。

筋金入りのクリスチャンからはお叱《しか》りを受けるかもしれないが、このエッセイはもともとイエスの教えについて関心の薄い人たちのために綴《つづ》るものである。勝手な推論を許していただきたい。

――イエスは少しずつ神の子になったのではあるまいか――

と私は思う。

どんな分野にも生まれながらの天才がいる。そういう人の脳味噌《のうみそ》は、特定の分野で卓越した力を示すようにあらかじめ作られている。科学の人、芸術の人、スポーツの人……。イエスは言ってみれば、宗教の人ではなかったろうか。

生まれ落ちてしばらくは、その才能もそう顕著には現われまい。ただの賢い子どもだったろう。十代のなかばにナザレの家を出た頃からイエスの中に少しずつ本来の特徴が現われ始める。はじめのうちは当人も意識しなかったろう。森羅万象《しんらばんしょう》についての知識を培《つちか》っていくプロセスで、形而上学《けいじじょうがく》的な思索、雄弁術、批評精神、大衆的な視点、人類愛など、ひとことでいえば、のちのイエスの特徴となるものへと知らず知らずのうちに青年イエスの心が傾き、いつのまにか脳味噌がその色あいを帯び、やがて意図的にその色を濃くするようになる。プロ野球の名選手が、幼いときから、

「この子、運動神経がとても発達しているのよ」

と言われ、走ってもボールを投げても周囲の子どもよりずっとすぐれている。いつのまにか野球を覚え、草野球の名選手となり、やがて意図的に取り組み、中学・高校とレベルをあげ、ついには自分の一生を託す道としてプロ野球を選ぶ。プロ野球の選

手になってからも切磋琢磨《せっさたくま》は続き、やがて気がつくとその世界の第一人者になっている……。

イエスにとっては洗礼を受けたときが、一つのけじめだったろう。

――この道を行こう――

自分の使命を感じ、一生をその道に託そうと考えた。

福音書をつぶさに読むと、イエスは、はじめから神の子というわけではなかった、その確信は明確ではなかった……と、そう読めるところがある。なによりも弟子たちの前にそれをなかなか示さなかった。いや、そこまで言っては言い過ぎかもしれないが、神の子であると断言することに対して、奇妙なほど臆病《おくびょう》であった。ためらいが見える。ほのめかしばかりやっている。福音書はイエスの行動を正確に伝えるものではないけれど、全体の印象として、少しずつ少しずつ弟子たちの前に、自分の神性をあらわにした気配がある。預言書の言葉を通じてほのめかしたり、わざと問いかけてペテロに言わせたりしている。もったいぶっているようにさえ見える。タボル山の変容は(これはイエスが弟子たちに自分が神の子であると明確に示した事件だが)物語が相当に進んでからのことである。

それはイエスの人柄《ひとがら》であり、また、そうしたゆっくりした方法でなければ、弟子たちに神性という異常なものを伝えられないと感じたから……と、そんな説明がすぐに返ってきそうな気もするが、見方を変えれば、イエス自身の中で自分に対する確信が、淡い確信から濃い確信へと少しずつ変っていった、つまり段階的に深まっていく、そのプロセスの反映と見ることができないだろうか。

青年期に神の啓示を感じ、成人したのち各地で自分の信ずる教えを述べてみれば、人々が熱心に耳を傾ける。一定の効果がある。この世を救済せねばなるまい。律法学者を論破することもできた。人々は彼を預言者として扱い、彼自身の中にも、

――私は神の使命を受けた者かもしれない――

と、そんな判断が少しずつ確信へと変っていく。

彼の教えは人々を感動させ、手のひとふれで病人が治ったりすることもあるようになった。奇蹟だ！　そういう噂《うわさ》が広まれば、さらに心因性の病気を治すのに役立つだろう。いくつかの偶然も奇蹟として伝えられ、湖の浅瀬をただ歩いただけなのに水上を歩いたこととして喧伝《けんでん》されてしまう。彼のスピーチがすぐれていたために結婚式の出席者が大きな喜びを味わった、と、それが実情だったのに、いつのまにか祝宴の酒がとてつもなく上等な酒に変ったという話になってしまう。暗示が暗示を生み、彼自身もある種の確信と自己暗示を得て、さらに自分でも驚くほどみごとに病人を治した

りするさまをまのあたりに見て、

――私は神の子だ――

と感じ、一層深い思索へと入っていく。神の言葉を伝える使命をますます強く確信し、その証明のために十字架に懸かり、死後に復活することまで思い到《いた》るようになる。私の想像は、伝統的なクリスチャンには耐えがたいほどの妄想《もうそう》に映るだろうが、虚心に聖書を読んでいると私にはそんなふうに感じられてならない。

――ああ、そうか――

かつてガリラヤ湖のほとりでTさんが、福音書に記された数々の奇蹟に敷衍《ふえん》して、「あれは、イエス自身が、自分こそ神の使命を受けた者だと、そう自分で信ずるためのプロセスだったのかもしれませんね。奇蹟を起こすたびに確信が深まっていって……。そんな気がするんですよ」

と呟《つぶや》いたのは、まさにこのことではなかったろうか。

本当に神の子であるというのは、どういうことなのか。だれにもわからない。あえて言うならば、それは、神の子であると強く、疑いなく確信することではあるまいか。少なくとも、この二つには大差がないように私には思えてならない。

あとで詳説するつもりだが、ことのついでにちょっとだけ触れておこう。

いよいよ明日は捕縛され十字架に懸けられるとイエス自身が自覚した夜、イエスはゲッセマネの園で長い祈りを神に捧《ささ》げる。夜が更《ふ》けるまで煩悶《はんもん》にも似たけわしい問いかけを神に向けた。

——私の確信はまちがっていなかっただろうか——

土壇場《どたんば》まで来て、イエスの中に疑念が生じた。その夜の苛立《いらだ》ちは福音書の中につぶさに記されている。

だが、やがて長い祈りのすえ、イエスは確信を取り戻し、それからはもう澱《よど》みがない。

が、それでもなお死の直前に十字架の上で「神よ、なぜ私をお見捨てになったのですか」と叫んだのは……あらたなる迷いだったろうか。さらに、その直後に叫び声を漏らし、これは「父よ、私の霊を御手《みて》にゆだねます」であったとルカは伝えているけれど、これこそが最後の迷いのあとに勝ち得た本当に最後の安らかな確信であった……。そんな魂の遍歴が私には浮かんでくるのである。その後の復活については、筆をあらためよう。

堅い話が続いた。最後はジョークで終わろう。

ガリラヤ湖の遊覧船乗り場にアメリカ人の観光客がやって来て、

「船賃はいくらかね？」

と尋ねた。

「五十シェケルいただきます」

「そりゃ高い。ほかの湖はもっと安いぞ」

船頭が肩をすくめて答えた。

「いや、いや。なにしろここはイエス様が歩いて渡られた湖ですからね」

アメリカ人が頷《うなず》いて、

「なるほど。こんなに船賃が高くちゃ、イエス様だって歩いて渡っただろうさ」

私も遊覧船に乗ってティベリアから対岸までクルージングを楽しんだ。漁師がのどかに網を打っていた。東岸のレストランで白ワインと一緒に食したセント・ピーターズ・フィッシュは、浜焼きの鯛《たい》のような味わいで、まことにおいしいものだった。

4 十二人の弟子

学生時代のガール・フレンドが結婚してミラノに住んでいる。結婚相手が伯爵《はくしゃく》だから彼女は伯爵夫人、つまりコンテッサである。

「今どき、なんの価値もないのよ」

と、当人は首を振るけれど、ヨーロッパの貴族と聞くと、わけもなく神々《こうごう》しい。私なんか、極東国の、根っからの平民である。先祖代々ジャガイモでも掘っていたらしく、指先がまるく擦り減っている。

「いやあ、たいしたもんだよ」

おそれ多くも私はコンテッサの道案内でミラノの名所を観光して歩いた。

ローマやフィレンツェに比べれば、見どころはそう多くはない。スカラ座、大聖堂、スフォルツェスコ城……そして目玉はなんと言ってもサンタ・マリア・デレ・グラツィエ教会、舌を嚙《か》みそうな名前は忘れてもよいけれど、ここにレオナルド・ダ・ビンチの名作〈最後の晩餐《ばんさん》〉がある。

より正確に言えば、名画は教会付属の修道院の、食堂の壁に描かれたものであり、教会のほうは休日でも開いているが、壁画のある部屋は「日曜は駄目《だめ》よ」「月曜も駄目よ」なのである。少なくとも私が行ったときはそうだった。日本でも美術館、図書

館、商店などが月曜日に休むケースは多いけれど、これは、

——日曜日に働いたからだなあ——

と、私は納得していたのだが……つまり、その、私は幼い頃《ころ》からこういう社会習慣を見て、人の世の労働とはいかなるものかそれなりに理解してきたつもりでいたのだが、日曜日に休んで、しかも月曜日にも休みというのは、その根拠をどこに求めたらよいものか、長年の倫理観がそこなわれたような気がしないでもなかった。あまつさえコンテッサの言によれば、

「ときどき係の神父さんがコーヒーを飲みに行っちゃうの。入口に鍵《かぎ》をかけて。一、二時間くらい帰って来ないことがあるのよ」

なのである。名画との対面は思いのほか困難であった。

スケジュールを調整し、やっと入ってみれば、名画は修復のまっ最中。足場が築かれ、パッチワークみたいにきれいな部分と汚い部分とがあり、全貌《ぜんぼう》をうかがうのがむつかしい。

——こんな場所にあるのか——

と、周囲の雰囲気《ふんいき》くらいはなんとかわかるが、鑑賞という面から言えば、精巧な画集で見るほうがよほどよろしいだろう。

しかし、壁画の傷《いた》みようはかなりのものである。今、補修をやらなければボロボロになってしまうだろう。後日、きれいになったときに、またミラノを訪ねるよりほかにあるまい。

さて、そのダ・ビンチの〈最後の晩餐〉だが、絵柄《えがら》はたいていの人が知っている。長いテーブルが延び、中央に赤い衣裳《いしょう》と青いトーガをまとったイエス・キリストが両手を広げてすわっている。両側に六人ずつ、合計十二人の弟子たちが驚き、ざわめいている。会食のまっ最中にイエスが、

「ここにいる一人が私を裏切ろうとしている」

と言った、その瞬間の光景を描いたものだろう。

野暮を承知でイチャモンをつければ、当時ユダヤ人は床にじかにすわって食事をしていたから、テーブルや椅子《いす》は不適当である。それに芝居の舞台じゃあるまいし、テーブルの向こう側にだけ、人がすわっているというのも不自然である。会食なら円を描いてすわるだろう。

だが、それはまあ、ダ・ビンチの絵画的粉飾であり、目くじらを立てることではあるまい。

話は突然変るのだが、ＴＢＳテレビ系のクイズ番組に〈クイズ百人に聞きました〉

があった。人気の番組だったから、ご記憶をお持ちのかたも多いだろう。百人の人に質問をして、どんな答が返って来たか、それをスタジオの解答者に尋ねるクイズだった。もし、あの番組で、

「イエス・キリストの直弟子と言われて、だれを思い出しますか」

と尋ねたら、どんな答が返って来るだろうか。

実際にそんな設問があったかもしれないが、私の想像では、きっとユダが一番多いだろう。キリスト教徒には不本意だろうけれど、イエスの十二人の直弟子の中で、一番知名度が高いのは、裏切り者のユダのような気がしてならない。聖書に馴染《なじ》みの薄い日本では、とりわけこの名前がよく知られている。

百人のうちユダが三十人、ペテロが二十人、パウロと答える人もいたりして……パウロは十二人の直弟子には含まれていない。もしかしたら……いや、きっと一番多い答は、

「わかんなーい。だれも知らなーい」

過半数に近いかもしれない。

十二人もいたのに、その名前はあまりよく記憶されていない。一、二の例外を除けばエピソードもとぼしい。ダ・ビンチの〈最後の晩餐〉を例として名前を紹介すれば、

画面の左から順にバルトロマイ、小ヤコブ、アンデレ、ユダ、ペテロ、ヨハネ、イエス・キリストをまん中にしてトマス、大ヤコブ、ピリポ、マタイ、タダイ、シモンの十三人となる。

キリスト教国において十三が縁起のわるい数とされているのは、この晩餐がいまわしい出来事の幕開けとなったから……。とりわけ十三人の会食はよろしくない。

フランスの文学者フロベールによれば、そんな席では、

「どなたかご懐妊の奥様はいらっしゃいませんか」

とジョークを飛ばすのがよいのだとか。出席者が十四人になるからである。

その直弟子たちが、新約聖書にどう登場するか、しばらくは眺《なが》めてみよう。

相互にくいちがう四つの福音書の記述についてあえて辻褄《つじつま》をあわせてみれば、おおむねこんなところになる。

一番最初にイエスに会ったのは、漁師のアンデレだった。アンデレは洗礼者ヨハネの弟子であり、イエスについて、

「あの人は救世主だ」

といったふうな教示をヨハネから受けていたのだろう。イエスのあとを追い、イエスと同じ家に泊まって、

——この人は、すごい——

おおいに心服した。アンデレの兄がシモン、のちのペテロである。アンデレは兄に会って、

「あの人は救世主だぞ」

と伝えた。

シモンもまた漁師だった。

二人がガリラヤ湖の岸辺で網を洗っていると群衆の騒ぎが聞こえ、その中にイエスが立っている。イエスが兄弟を見つけ、先に声をかけた相手はアンデレのほうだったろう。兄弟は同じ舟を操っていた。

「私を乗せて、岸から少し漕《こ》ぎ出してくれないかな」

イエスがそう頼んだのは、群衆にもみくちゃにされずに教えを語るためだった。

「わかりましたあ」

二人はほどよい位置まで漕ぎ出して舟を止める。

イエスは舟の中に腰をおろして説教をしたのち、

「沖へ舟を出して、魚を捕りなさい」

と命じた。

「しかし」

と首を振ったのは、シモンのほうだったろう。

「私たちは夜通し漁をしてたんです。それでも一匹も捕れなかった」

「まあ、いいから。沖に出て、漁をしてごらんよ」

言われるままに舟をガリラヤ湖の深みへ出して網を落としてみれば、かかるわ、かかるわ、網が破れそうになるほどいっぱいになった。

「こりゃ、すごい。おい、ほかの舟を呼べ」

近くにいる仲間の舟に合図をして呼び、その舟もまた沈みそうになるほどの大漁を得た。

一部始終をさりげなく眺めているイエス……。

——こりゃ、奇蹟《きせき》だ。ただ者じゃないぞ——

と、シモンは思ったにちがいない。

「私について来なさい」

とイエスに言われ、畏怖《いふ》の念におののいてひれ伏し、

「私は、ただの漁師です。わるいこともいっぱいしてきました。とてもあなたのそばにいられるような者じゃありません」

シモンは素朴《そぼく》で、生《き》まじめで、少々臆病《おくびょう》なところを持つ青年だったろう。

「おそれることはない。今日からは魚を捕る漁師ではなく、人間を捕る漁師となりなさい」

「ははーッ」

よほど感動が大きかったのだろう。弟のアンデレと一緒に舟を岸にあげ、その場でイエスに従う弟子となった。

もう一隻《せき》の舟に乗っていたのは、これも漁師の兄弟で、ゼベダイの子ヤコブとヨハネだったろう。イエスの霊験《れいげん》をまのあたりに眺め、人柄にも激しく打たれるものがあった。

「私たちも一緒にお供をさせていただいて、よろしいでしょうか」

「いいとも。ついて来なさい」

動物学者の説によれば、獣類は、出会った瞬間にどちらがイニシアティブを執るか、上下の関係を認めあうものなんだとか。人間関係もその例外ではない。四人の漁師は、即座に転職を決意し、イエスの弟子となった。

「シモンよ」

とイエスが告げたのは、それから間もないときだったろう。

「はい？」

「これからはペテロと名を改めなさい」

「わかりました」

ペテロとは岩の意である。世界の繁栄を支える力強い岩になってほしいというイエスの願いであった。その後の経過から見て、ペテロはイエスにとって一番心やすい弟子だったろう。

その翌日、イエスはガリラヤの湖畔から内陸部へと向かい、その道中でピリポという男に会った。ピリポはギリシア系の名前であり、そのあたりに彼の出自を推定する唯一《ゆいいつ》の手がかりが残されているが、なにを職業としていたのか、履歴はよくわからない。

イエスは、この男にも、

「私について来なさい」

と告げた。

ピリポのほうも、イエスについて噂《うわさ》くらいは聞いていただろうが、いきなりそんなことを言われても困ってしまう。仲間のナタナエルを訪ねて、

「イエスって人に会ったよ。偉い預言者らしいぞ。弟子になれって言うんだ」

と相談した。

そのときナタナエルは無花果《いちじく》の木の下に立っていた。

――二千年前の話だろ。なんの木の下に立っていたっていいじゃないか――

と思うのは素人《しろうと》のあさはか。これが意外と大切なのである。

「イエス？　だれだ、そいつは？」

「聞いてないのか。ナザレの大工の伜《せがれ》でサ、奇蹟を起こしたりして……救世主かもしれん」

「はてな。ナザレからいいものが出たこと、あるかよ」

当時、そんな悪口がよく言われていたらしい。ナザレはひどい田舎だから、ろくなものが出ないと。

「まあ、一緒に来てみろよ」

ピリポがナタナエルを連れてイエスのところへ来ると、イエスは二人を見たとたんに、

「ナタナエルよ」

と、名前を呼び、

「あなたはまことのイスラエル人《びと》だ。悪だくみを持たない人だね」

さながら占い師みたいにキッカリと言いきった。

初対面の相手にいきなり名前を呼ばれ、そのうえ出身地から性格まで言い当てられては驚いてしまう。ナタナエルは自分がイスラエルの血を繋《つな》ぐ、心の正しい者だとひそかに自負していたにちがいない。

「えっ、どうして私のことがわかるんですか？」

「わかるさ。それだけじゃない。ピリポに話しかけられたとき、あなたは無花果の木の下にいただろ。私はそれを〝見た〟んだから」

「まいったなあ」

とナタナエルは狼狽《ろうばい》する。

——あのとき、そばにだれかいただろうか——

とナタナエルは首を傾《かし》げる。だれも見ていなかったと思うのだが……。

イエスの言う〝見た〟は微妙である。見るはずのないことをイエスが見て知っていたから、ナタナエルはそこにイエスの超能力を感じたのだろうか。

それとも……。無花果の木の下で沈思黙考するのは神への語りかけを意味していた。ナタナエルは、ローマに征服されたイスラエルの現状を独り無花果の下で嘆いていたのかもしれない。木陰で怠けていたのではなく、彼もまた一人の憂国の士であった。

それをイエスに見ぬかれ、

——この人なら日ごろの俺《おれ》の悩みに応《こた》えてくれるかもしれない——

と察知した……と、ここまで行間を読み取るとなると、聖書の読解はなかなか大変な作業ですね。

イエスはさらに続けた。

「もっと偉大なものを、あなたたちは見るだろう」

「なんですか」

「天が開け、神の御使いが行き来するのを見るだろう。その日は、もうすぐやって来る」

「本当ですか」

「私について来なさい」

イエスは深い鳶《とび》色《いろ》の眼をしていたとか。じっと見つめられると、従わずにはいられないような不思議な力を秘めていた。

「はい。わかりました」

「わかりました」

ピリポも同音に答え、二人そろってイエスの弟子となった。ナタナエルはバルトロマイの名で十二人の直弟子に加わっている。

マタイは徴税人であった。民衆から直接、税をしぼり取るのが彼の仕事だった。ユダヤ人でありながら支配者ローマの手先となって税を徴収するのだから、ユダヤ人たちのあいだで評判のよかろうはずがない。非情で、卑《いや》しい仕事と見なされていた。しかし、マタイには見どころがあったのだろう。イエスはマタイを見て弟子に加えた。誘いの文句はいつも通り、

「私について来なさい」

である。

マタイも他の弟子たちと同様に、すぐさま仕事を捨て家族を捨てイエスに従う決意をする。

「門出を祝して宴会！」

と言ったかどうかはともかく、マタイはイエスを招いて盛大な宴会を催した。マタイ自身が徴税人だったから、集まって来る連中にも同業者が多い。ほかにも犯罪者まがいの、ろくでもない連中が含まれている。かねてからイエスの足を引っぱろうとしていたユダヤ教の律法学者たちがこれを見て、

「どうしてあなたは、あんないかがわしい奴等《やつら》と飲んだり食ったりするんですか」

と激しく非難した。

聖人であるならば、もう少し身を慎しむべきであろうと糾弾したわけである。

イエスはサラリと答える。

「医者を必要とするのは、健康な人ではなく病人である。私が来たのは、正しい人を招くためではなく、罪人を招いて悔い改めさせるためである」

なるほど。イエスのレトリックについては、また後に記そう。

これでアンデレ、ペテロ、ゼベダイの子ヤコブ（大ヤコブ）、ヨハネ、ピリポ、ナタナエル（バルトロマイ）、マタイの七人が決まった。これ以外のトマス、小ヤコブ、タダイ、シモン、ユダについてはどういういきさつでイエスの弟子になったか、福音書はつまびらかにしていない。多分、「私について来なさい」だったろう。以下省略の道を採ったらしい。

小ヤコブはアルパヨの子ヤコブと呼ばれることもある。シモンは熱心党のシモンと冠称をつけてシモン・ペテロと区別する。熱心党は当時の政治団体の一つだが、シモンがそこに属していたのか、それとも彼の一途《いちず》な性格が渾名《あだな》に反映したのか、これもわからない。なにしろ古いことだから、こまかく調べていくと同名異人がいたり、名前がちがうのに同一人物であったり、不確かな部分も多いのだが、ここでは十二人の存在を名前ともども大ざっぱに記憶しておいていただきたい。

十二人が揃《そろ》ったところで、一番弟子に当たるのはだれかと言えば、これはまあ、先にも触れたようにペテロの名がまっさきに浮かぶ。ほとんど異論のないところだろう。著名なエピソードもいくつか残されている。

ペテロの次に控えているのが、ゼベダイの子ヤコブとヨハネである。タボル山（あるいはヘルモン山）に登ってイエスの変容を見たのも、ペテロとこの二人だし、ゲッセマネの園でイエスの祈りを見守る役を命じられたのも同じ三人だった。ペテロが大関に叶《かな》う役どころならば、この二人が関脇《せきわけ》、小結といった役まわりであろうか。

あとは前頭の面々で、いくつかのエピソードを紹介しておけば……。

トマスは、復活したイエスについて、

「そんなの、俺、信じられない」

と言ったが、イエスが彼の前に現われ、

「さあ、私の手を見るがよい。脇腹《わきばら》に指を入れてみるがよい」

と言う。たしかに復活したイエスの手には釘《くぎ》の跡が残り、脇腹には槍《やり》の傷跡が残っていた。その証人として、トマスの名が高らかに伝えられている。

マタイはたったいま紹介した徴税人の宴会が一番著名なエピソードであり、それ以外は……〈マタイによる福音書〉の著者ではあるまいかと思われて知名度そのものはけっして低くないけれど、同書に用いられているギリシア語は格調の高いものであり、ユダヤの徴税人ではとてもこれを書くのは無理だったろう。ほかにも難点があって、マタイを〈マタイによる福音書〉の著作権者とする説は現在ではほとんど採用されていない。

アンデレはペテロの弟という以外にこれと言ったエピソードを持たないし、シモン、ピリポ、タダイ、バルトロマイも特筆するものが見つからない。小ヤコブは、その名の通り体が小さかったらしい。

そして、どん尻《じり》に控えしは……イスカリオテのユダ。これはイエスを裏切ったという、たった一つのエピソードで古今東西に名を残している。大関ではないが、放逐されてプロレス行きを画策した三役くらいのところだろうか。

彼の冠称であるイスカリオテの意味もまた明確ではない。出身地カリオテを表わしているという説が有力だが、そのほかに刺客《しかく》あるいは詐欺師《さぎし》の意だとも言われ、わるいイメージがなかなか払拭《ふっしょく》できない。

なにしろ偉大なるイエスを裏切った男である。本邦の明智《あけち》光秀《みつひで》もただ信長を殺害するためにのみ日本史の表舞台に登場したような趣きがあるけれど、それでも彼の伝記は残っている。光秀の心中を推察する文学作品も書かれている。ユダはそれすらも乏しい。

わずかな史料と、大きな想像から帰納するならば、ユダは十二人の弟子たちの中で一番のエリートだったのではあるまいか。彼はイエスを中心とする集団の中で財務を担当していた。大蔵大臣はどんな社会でも重要なポストである。彼はほかの弟子たちとちがってガリラヤの出身ではなかったろう。そうであるにもかかわらず、強い同志的結合の中で重要な役割をまかせられていたのは、才覚のある男だったから……。私は、

——もしかしたらユダだけが、十二人の中で学識豊かな男だったのではあるまいか——

と思うことが多い。

十二人の弟子たちは、一、二の例外を除けばどことなく頼りない。そのことについては私はイエス自身にも少々苦情を言いたいくらいである。

弟子たちはみんな純朴《じゅんぼく》で、敬虔《けいけん》で、愛情深い男たちだったろうが、それだけでは足りない。

一人の人間として見るときには、純朴で、敬虔で、愛情深ければ、

――それ以外、なにを望むんだ。すばらしいことじゃないか――

という考えに、私はなんの異論もないけれど、これは仲よし同士の集まりではない。

イエスの直弟子たちが担《にな》うべき役割はもっと大きい。彼等は神の国を実現するための重要なオルガナイザーたちだったのだから……。

「インテリって信用できないのよね。いざってとき裏切るから」

という意見も半分は正しい。だから、なまじ知識を持っている人より、なによりも人柄《ひとがら》が大切、イエスもそのあたりを見すえて最初の弟子たちを選んだ、と、そんな答が返って来そうな気がするけれど、やはり大事業をまっとうするためには……そのためのブレーンとしては人柄がよいだけではむつかしい。学識も経験も、指導力も、冷静さもはったりもみんな必要なのである。十二人の弟子の中で、ペテロを除けば、だれが、どれだけのことをしたのか。相当に甘い物さしを当ててみても、あと一人か二人の名前を挙げられる程度である。使徒言行録に名前があってもペテロの付録みたいなものである。記録になんの業績も残っていないのは、特筆大書するほどの実績がなかったからだろう。本当に有能な弟子たちだったのかなあ。

「でもキリスト教は広がったじゃない」

というのは、結果ＯＫの考え方である。

端的に言えば、イエスが十字架に懸けられたあと、パウロという、とてつもないオルガナイザーが登場したこと、これが大きかった……。この現実を否定する人はだれもいないだろう。パウロは真摯《しんし》で、敬虔で、愛情深く、しかも学識も経験も指導力も忍耐力も弁舌も、みんな持ちあわせていた。最初の弟子を選ぶなら、ぜひともこのあたりを選びたい。イエスにもなにほどかの誤算が（もしかしたらかなりの誤算が）あったのかもしれない。そして、それはイエス自身の能力の限界だったのかもしれない。が、それはともかく、当時、救世主というものが、どうイメージされていたか、そのことについても触れておいたほうがよいだろう。

イスラエルの民が最大の繁栄を謳歌したのは、西暦前一〇〇〇年の頃《ころ》、ダビデとソロモン時代であった。エルサレムに荘厳な神殿が建てられ、その勢いは周囲の国々を圧倒していた。局地的ではあったけれど、ナンバー・ワンの民族意識を持つことは充分に可能であった。遠く砂漠《さばく》のかなたからシバの女王が貢《みつ》ぎ物《もの》を連ねてエルサレムまで訪ねて来たのも、この頃である。

このときを絶頂として民族の運命は下降線をたどり続ける。内乱もあったが、つぎつぎに強国が興り、イスラエルの地は長い期間にわたって荒らされ、略奪された。民族の大部分が捕虜として戦勝国の都に連れて行かれたバビロン捕囚などは、みじめな情況を伝える典型的な史実であろう。

――いつか救世主が現われ、私たちを救ってくれる――

民衆が描く救世主はダビデであり、ソロモンであった。二人の王は精神的な指導者であると同時に民族の政治的な支柱でもあった。神を唱えながらも同時に地上の恵みも分け与えてくれた。

――あの頃の栄耀栄華《えいようえいが》を取り戻したい――

実際問題としては、ダビデとソロモンの時代から数えてイエスの頃までには千年の時間が流れているのだから〝あの頃〟と言ってみたところで、民衆がどれほど具体的なイメージを描けたか、はなはだあやしいものだが、理想というものはもともと脹《ふく》らみがちである。民衆のイメージの中にある救世主は、神と富とを同時にもたらしてくれる存在であり、ダビデやソロモンがそうであったと同じように、救世主という言葉にはすぐれた王への期待が含まれていたわけである。イエスの理念とは少なからずちがっている。

〈マルコによる福音書〉第九章から、ちょっとおもしろいエピソードを引用しておこう。

〝一行はカファルナウムに来た。家に着いてから、イエスは弟子たちに、「途中で何を議論していたのか」とお尋ねになった。彼らは黙っていた。途中でだれがいちばん偉いかと議論し合っていたからである。イエスが座り、十二人を呼び寄せて言われた。「いちばん先になりたい者は、すべての人の後になり、すべての人に仕える者になりなさい。」そして、一人の子供の手を取って彼らの真ん中に立たせ、抱き上げて言われた。「わたしの名のためにこのような子供の一人を受け入れる者は、わたしを受け入れるのである。わたしを受け入れる者は、わたしではなくて、わたしをお遣わしになった方を受け入れるのである。」〟

これはイエスが十字架に懸かる日から逆算して半年くらい前のことだろうか。イエスの公的生活は二年半くらいと推定されるから、この時期に到《いた》れば、イエスの教えも弟子たちのあいだに相当深く浸透していてよさそうなものだが、はて、

――本当に浸透していたのかな――

と、私は少し心配になってしまう。ガリラヤ湖の漁師を中心とした集団のメンバーたちは、形而上学《けいじじょうがく》的な思考には、きっと慣れていなかったろう。イエスの教えは難解であった。

文中のカファルナウムは、ガリラヤ湖畔の町カペナウムである。イエスはこの町に

いて、そこへ弟子たちが集まって来たのだろう。読んでいると、見えない風景が見えてくる。ちょっとほほえましい。いたずら小僧たちと校長先生のやりとりみたいに……。

弟子たちはイエスの家に向かう道中で話しあっていた。

「俺たちの中で、だれが一番偉い位につけるのかなあ」

「俺が左大臣よ。あんたが右大臣だ」

「冗談じゃない。俺が左大臣に任命される。あんたは、その次だ」

地上の問題か、天上の問題か、曖昧《あいまい》なままの議論だった。弟子たちは、イエスがダビデと同じように地上の救世主となってくれることを、少なくともいっときは考えただろう。そのときの閣僚名簿を想像したこともあっただろう。

しかし、こうした話題がイエスの好みでないことは直感的に気づいていた。だからこそイエスに「何を議論していたか」と問われても黙っていたわけである。話し声は断片的にイエスの耳に届いていただろう。イエスは十二人を集めてすわり直し、厳粛な説教を始めた。一同は首をすくめて聞いていただろう。その内容については、ここでは解釈を保留しよう。

二千年昔のイスラエル……。民衆の中に救世主への待望が満ち満ちていた。政治と宗教がまだまだ未分化の時代だったから、救世主は地上の革命家でもあった。よい社会を作る人であった。民衆は潜在的に、あるいは顕在的にそれを期待していた。だれの心の中にもその思いはあっただろう。

ユダは、ことさらにそれをイエスに期待した人ではなかっただろうか。イエスの偉大な能力を察知し、師と仰ぎ、

——いつかこの人が地上の王となるとき、俺はその有力な参謀となろう——

と考えていたのかもしれない。その限りにおいては命を投じてもいいと決意していた……。

しかし、イエスの目標はユダとちがっていた。地上を離れて神の国に向かっていた。ユダの目標は地上の支配であった。現代風に言えば、イエスとユダとでは改革に対するビジョンが異なっていたのである。

ユダが受け取った裏切りの代償は銀貨で三十枚。銀貨一枚が一日の労賃であったから、福音書の記述を信ずるならば、現在の月給程度のものである。この金額は、師であった人を売るには、あまりにも安すぎる。ユダは会計係だったのだから、このくらいの金額を着服するのは、けっしてむつかしくはなかったろう。離反の原因は金銭ではなく、路線のちがいのように思われてならない。そうであればこそイエスは、

――自分に離反する者があるとすれば、ユダだな――
と意見のちがいを事前に察知することができたわけである。

十二人の弟子の中では、ペテロの存在が際立《きわだ》って鮮明である。純朴で、臆病《おくびょう》で、情熱家で、せっかちで、ひたすらイエスを敬愛していた。ときどきヘマをやる。ガリラヤ湖で溺《おぼ》れかかった事情はすでに前回紹介したが、つぎのエピソードも、ペテロに関する常識の一つとして知っておくべきであろう。引用は〈マタイによる福音書〉第十六章からである。

〝イエスは、フィリポ・カイサリア地方に行ったとき、弟子たちに、「人々は、人の子のことを何者だと言っているか」とお尋ねになった。弟子たちは言った。「『洗礼者ヨハネだ』と言う人も、『エリヤだ』と言う人もいます。ほかに、『エレミヤだ』とか、『預言者の一人だ』と言う人もいます。」イエスが言われた。「それでは、あなたがたはわたしを何者だと言うのか。」シモン・ペトロが、「あなたはメシア、生ける神の子です」と答えた。すると、イエスはお答えになった。「シモン・バルヨナ、あなたは幸いだ。あなたにこのことを現したのは、人間ではなく、わたしの天の父なのだ。わたしも言っておく。あなたはペトロ。わたしはこの岩の上にわたしの教会を建てる。わ陰府《よみ》の力もこれに対抗できない。わたしはあなたに天の国の鍵《かぎ》を授ける。あなたが地上でつなぐことは、天上でもつながれる。あなたが地上で解くことは、天上でも解かれる。」それから、イエスは、御自分がメシアであることをだれにも話さないように、と弟子たちに命じられた〟

フィリポ・カイザリアはガリラヤ湖北方の山岳地に位置する町である。〝人の子〟という用語は、人間一般をさすこともあるが、多くの場合、イエスが自分自身を言う表現である。弟子たちに向かって、

「みんなは私のことを何者だと言ってるかね」

と、世間の噂《うわさ》を尋ねてみたわけだ。

「洗礼者ヨハネです」

「エリヤです」

「エレミヤです」

「預言者です」

弟子たちは口々に答えた。

イエスに洗礼を授けたヨハネはこの時点ですでに殺されていたし、エリヤもエレミヤも旧約聖書の登場人物である。つまり、イエスはだれとは知れないが聖なる人物の

生まれ替りである、それが町の噂である、という返事だった。

「じゃあ、あなたたちは私を何者だと思っている？」

イエスは追い討ちをかけるように弟子たちに尋ねた。

ほかの弟子たちはためらっていたが、ペテロが進み出てはっきりと答えた。

「あなたは救世主です。神の御子《みこ》です」

あえて神的な立場についてのランキングを示すならば、一番偉いのが神、ついで、神の子、救世主、聖書に残るような預言者、並の預言者……くらいの順序だろうか。ペテロの発言は民衆が見ているものより、さらに高いものを告げている。この世を救済するために遣わされた、神の御子であると。

バルヨナはヨナの子の意で、父親の名で人を呼ぶ習慣を示している。ペテロの父の名はヨナであった。

イエスは深く頷《うなず》いて、ペテロに向かい、

「その通りだ。それがわかったあなたには神の恵みがくだるだろう。このことは生身の人間が言うのではなく、私の父である神があなたに啓示して伝えることである。私も言っておこう。あなたの名はペテロ。知っての通り岩のことだ。私は岩《ペテロ》の上に私の教会を建てる。地獄の力もこれには勝てない。私はあなたに天国の鍵を与えよう。

あなたが地上で禁ずることは天上でも禁じられる。地上で許すことは天上でも許される。そのような権威を持つ者として、しっかりと神の教えを実現してほしい。ああ、それから、私が神の子であり、救世主であることは、ほかの人には話すなよ」

と告げた。

イエスの言葉はいつもむつかしい。もともと含蓄に富み、韜晦《とうかい》趣味さえ感じてしまうのだが、それに加えて、その翻訳がかならずしもわかりやすくはできていない。英文聖書や注釈書を参考にして私なりにやさしく書いてみたわけである。

今日の芸術作品に見るペテロの像が、しばしば鍵を持っているのは、このイエスの言葉に由来している。またペテロは、二百数十代を数えて今日に繋《つな》がるローマ法王の、その初代のポストを占めているが、それもまた、このときのイエスの言葉に根拠を持っている。イエスは岩《ペテロ》の上に教会を造れと告げたのだから。

さらに言えば、このくだりは、ペテロがイエスの神性を言い当て、さらにイエスがそれに応《こた》えて明確にみずからの神性を認めた一節として、神学的に重大な意味を持っている。イエスが神の子であるかどうか、それももちろんすこぶる重要な問題だが、ペテロが（そして多分ほかの弟子たちも）それを認めて告白したことにも大きな意義があった。この役割は、イエスの気心をよく知っていた、敬虔で一途《いちず》なペテロにこそふさわしいものだったろう。

ペテロと言えば、もう一つ忘れてはいけない著名なエピソードがある。話は少し先走りするけれど、ここで触れておこう。

最後の晩餐《ばんさん》のあとのことだった。イエスはすでに自分の運命を知っていた。間もなく捕らえられて十字架に懸けられることを。

ペテロの心の中には、わだかまりが渦巻《うずま》いていた。会食の最中にイエスが「ここにいる一人が私を裏切ろうとしている」と言っていたけれど、

——あれはユダなのだろうか——

まさか……。よくわからない。だが、とにかく、

——俺《おれ》はけっして裏切らないぞ——

その思いをイエスに伝えておきたかった。

「ほかの人はともかく、私は絶対に大丈夫です」

と、ペテロは決然とイエスに告げた。イエスは振り向きゆっくりと首を振った。

「いや。はっきりと言っておこう。あなたは今夜、鶏が鳴く前に三たび私のことを知らないと言うだろう」

「とんでもない。そんなこと絶対にありません。御一緒に死ぬことになっても、あなたを知らないなんて……私が言うはずがないでしょう」

「そうかな」

それからは信じられない出来事の連続だった。

イエスはゲッセマネの園で長い祈りを捧《ささ》げたのち、捕らえられて大祭司の屋敷に連行された。家の中で裁判が始まったらしい。ペテロは追って行き、中庭に潜り込み、

——どうなるんだろう——

気もそぞろに家の中をうかがっていた。周囲には野次馬たちが群がっている。屋敷の女中が現われ、ペテロの顔を見て、

「あんた、ガリラヤの人でしょ。今の男と一緒にいたじゃない。私、見たわよ」

と言う。

イエスの仲間だと知られたら、ペテロも捕らえられるだろう。

「いい加減なこと、言うなよ。あんな男、知らんよ」

と、あわてて門のほうへ退く。すると、べつな女中がペテロに眼《め》をとめ、指をさし、

「この人、ナザレのイエスの仲間よ。まちがいない」

と、周囲に告げる。

「知らん、知らん、イエスなんか」

周囲の人はじっとペテロの様子を観察していたが、そのうちに何人かが近寄って来て、

「たしかにお前はあいつの仲間だよ。訛《なま》りがあるもん。ガリラヤの生まれだろ？」

ペテロは、いかにも迷惑そうに、

「ちぇっ、知らんよ。あんな男。糞《くそ》くらえだ」

そのとき、ひときわ高く、コケコッコー、と鶏が鳴いた。

――しまった――

ペテロの胸に忽然《こつぜん》とイエスの言葉が甦《よみがえ》って来た。まさしくその通りではないか。

「今夜、鶏が鳴く前に三たび私のことを知らないと言うだろう」とイエスは告げていたのだから……。

ペテロは家の外に逃れ、心ならずもイエスを裏切ってしまったことを、そして自分の心の弱さを嘆いて激しく泣いた。泣いて、泣いて、泣き続けた。

ペテロはあやまちを犯し、悔みながら成長する人であった。その人間らしさが多くの人々に愛された理由でもあったろう。

私見を言えば、この夜の情景は新約聖書の中でも際立ってドラマチックな場面の一

つである。うろたえるペテロ。群衆の疑惑。そして場ちがいなほど高く、明るく響く鶏の鳴き声。ペテロの慟哭《どうこく》……。イエス・キリストの受難を二幕のドラマに仕立てるとすれば、このあたりが第一幕のラスト・シーンだろう。慟哭の響く中で場内が明るくなり、観客が休憩のため席を立って行く。

ミラノ観光のもう一つの目玉はショッピングである。モンテ・ナポレオーネ通りには、高級ブティックがずらりと並んでショウ・ウィンドウを飾っている。

その中の一つ、ルイ・ヴィトン商会は噂通りに日本人が大嫌《だいきら》いらしい。頭《ず》の高さはなかなかのものだった。コンテッサが、

「あの棚《たな》の鞄《かばん》、ちょっと見せて」

と告げても、店員は聞こえないふりをしている。

「おもしろいデザインじゃない。ちょっと見せて」

もう一度言うと、

「いま計算をしてますから」

と、書類を見たまま答える。慇懃《いんぎん》ではあるが、無礼が態度に溢《あふ》れている。

――やるもんだなあ――

不快よりも、むしろ不思議だった。

コンテッサは三十年以上もイタリアに住んでいる。立居振舞いも垢抜《あかぬ》けている。彼女のイタリア語を聞き、様子を見れば、ただの観光客ではないことが、すぐにわかるだろう。

——なのに、この横柄《おうへい》な態度——

私が一緒にいるのがいけなかったのだろうか。コンテッサは、

「だからイタリア経済が駄目《だめ》なのよ」

と叱《しか》っていたが、それはともかく、彼等の祖先であるローマ人はもっと気位が高かったろう。文字通り世界に冠たる大ローマ帝国の市民だったのだから……。

そのローマ人が、なぜ異国の宗教を信ずるようになったのか。当初の反発は激しかったが、その後はみずからの魂の拠《よ》りどころとして強く、長くキリストの教えを守り続けた。

世界第一の国に教えをあまねく浸透させたのだから、イエスはやはり神の子だったのかもしれない。

5 イエスの変容

三十年ほど前、私は広告文案を作る仕事に手を染めたことがあった。そば屋さんの組合からポスターの注文があって、私の提出したアイデアは、

〈神父姿の植木等がもりそばを食べている。文案は〝人の生きるはパンのみによるにあらず〟〉

残念ながら採用されなかった。

閑話休題。イエスの公的生活は二年半に満たない。西暦二八年の初頭から三〇年の春まで。十字架による処刑は四月七日の午後と推定されている。イエスの生年を西暦前五年とすれば、三十代前半の若さである。まことに、まことに流星のように短い生涯《しょうがい》であった。

ヨルダン川のほとりでヨハネから洗礼を受けたあとイエスは荒野に出て四十日間の断食《だんじき》を敢行して宗教的な修錬を積む。空腹のイエスの前に悪魔が現われて、

「どうだ、神の子なら、この石をパンに変えてみろよ」

と誘惑する。イエスはきっぱりと答えた。

「人はパンだけで生きるものではない、神の口から出る一つ一つの言葉で生きる、と

尊い本に書いてある」

「ふーん」

悪魔は、さながら魔法使いみたいにイエスをエルサレムの上空に運んで、

「ほら、飛び降りてみろよ。神の子なら天使が途中で支えてくれるんだろ」

と唆《そそのか》す。イエスは厳かに答えた。

「あなたの神を試してはならない、と書いてある」

悪魔はさらにイエスを、とてつもなく高い山の頂上に連れて行き世界のすべての国々の繁栄を見せたうえで、

「どうだ、私にひれ伏すなら、この繁栄を全部あんたにくれてやってもいいんだぜ」

と、ほくそ笑んだ。イエスはきびしく答えた。

「退け、悪魔《サタン》。あなたの神を拝み、ただその神に仕えよ、と尊い本に書いてある」

ここでいう尊い本は、もちろん旧約聖書を指しており、申命記に該当する文句があるけれど、そういう細かいことより、イエス自身が旧約聖書を通して会得《えとく》した一つの理念と解したほうがここでは適切だろう。イエスは旧約聖書をよく知っていたが、かならずしもその教条だけを守ったわけではない。彼自身のプラス・アルファこそが肝要だったのだから。煎《せん》じ詰めれば、この悪魔への返答は「神を至上のものと考え、そ

の教えを尊《たっと》び、敬虔《けいけん》に仕えること、それが永遠の恵みであり、私が守る道である」という宣言だったろう。悪魔は幻影であってもいっこうにさしつかえない。

荒野から帰ったイエスはガリラヤ地方を中心にみずからの教えを説き、病人を癒《いや》し、奇蹟《きせき》をおこない、十二人の直弟子を集める。噂《うわさ》は広がってイエスの行くところには、いつも民衆が群がって来た。そして名高い山上の垂訓となる。

その場所はカペナウムに近い湖畔の丘陵地だった。ゆるやかな傾斜が続き、現在は小高い位置に湖を見おろして山上の垂訓教会が建てられている。八角形の美しい建物だ。イエスの眼にも湖の美しい青の色が映っていただろう。イエスは集まった群衆を見おろして厳かに説いた。

〃「心の貧しい人々は、幸いである、
　天の国はその人たちのものである。
悲しむ人々は、幸いである、
　その人たちは慰められる。
柔和な人々は、幸いである、
　その人たちは地を受け継ぐ。

義に飢え渇く人々は、幸いである、
　その人たちは満たされる。
憐《あわ》れみ深い人々は、幸いである、
　その人たちは憐れみを受ける。
心の清い人々は、幸いである、
　その人たちは神を見る。
平和を実現する人々は、幸いである、
　その人たちは神の子と呼ばれる。
義のために迫害される人々は、幸いである、
　天の国はその人たちのものである。
わたしのためにののしられ、迫害され、身に覚えのないことであらゆる悪口《あっこう》を浴びせられるとき、あなたがたは幸いである。喜びなさい。大いに喜びなさい。天には大きな報いがある。あなたがたより前の預言者たちも、同じように迫害されたのである。」〟

〈マタイによる福音書〉は、この先もしばらく続いて第五章から第七章まで、新共同

訳で二段組み七ページの垂訓が記されているが、現実問題として屋外の丘陵地で野次馬まじりの群衆を相手にそれほど長い訓示を垂れたとは考えにくい。このとき実際に語ったのは、いま引用した部分くらいで、そのほかはべつな機会に弟子たちに説いたものをマタイがまとめたのであろう。

よく似たことを〈ルカによる福音書〉第六章も書いている。こちらは〝平らなところ〟で語られたことになっていて、平地の垂訓と言われている。冒頭の十数行は、

〝「貧しい人々は、幸いである、
神の国はあなたがたのものである。
今飢えている人々は、幸いである、
あなたがたは満たされる。
今泣いている人々は、幸いである、
あなたがたは笑うようになる。
人々に憎まれるとき、また、人の子のために追い出され、ののしられ、汚名を着せられるとき、あなたがたは幸いである。その日には、喜び踊りなさい。天には大きな報いがある。この人々の先祖も、預言者たちに同じことをしたのである。

しかし、富んでいるあなたがたは、不幸である、

あなたがたはもう慰めを受けている。

今満腹している人々、あなたがたは、不幸である、
あなたがたは飢えるようになる。

今笑っている人々は、不幸である、
あなたがたは悲しみ泣くようになる。

すべての人にほめられるとき、あなたがたは不幸である。この人々の先祖も、偽預《にせ》
言者たちに同じことをしたのである。」〟

となっている。二つを比べてみると、よく似てはいるが、微妙にくいちがっている。

それに……表面的な意味はわかるとしても、内容的に、

——どういうことなのかな——

と首を傾《かし》げたくなる表現もある。

たとえば、冒頭の一節、マタイもルカも〝貧しい人〟に触れているが、マタイのほうには〝心の〟という補足がある。少なくとも現代の日本語では〝心の貧しい人々〟と、ただの〝貧しい人々〟とでは意味が異なる。後者は第一義として金銭に恵まれない人々のことだろう。イエスの本意は……マタイの解釈はどのあたりにあったのだろうか。

金銭のとぼしい人のほうが誠実で、虚心に、神を受け入れることができ、この世で恵まれないぶんだけ、かえって神の国に入りやすい、というロジックは頷《うなず》けるものを含んでいる。しかし〃心の貧しい人々〃となると、

「わからんなあ」

そんな声が聞こえて来るようだ。

多くの注釈書は〃心において満たされず、苦しんでいる人々〃のことだとしているが、それならば、まあ、わかる。神を頼らなければならないスペースが心の中に残っているからである。そして、考えてみれば、心が満月のごとく満たされている人など、めったにいるものではない。ほとんどすべての人が満たされていない。それを明確に意識することが、神の国へ入る道なのである。〃悲しむ人々〃と〃今泣いている人々〃は共通するのではあるまいか。マタイの言う〃柔和な人々〃は謙虚な人々のことであり、この一節は神の前に謙虚である人は、やがて天上で約束の地を受け継ぐだろう、となる。義は英文聖書では righteousness となっており、つまり正義である。神の正義を渇望《かつぼう》する人々も、それゆえに迫害を受ける人々も祝福を受けるということだが、さて、その正義がいかなるものか、これだけではわからない。全体としてルカのほうがマタイに比べれば、いくらかわかりやすいかもしれない。

深い意味を考えるとややこしいが、当時のユダヤ教の説教者たちがモーセがどうの律法がどうの、民衆には縁遠い聖典の文句を楯《たて》に驕慢《きょうまん》な説教ばかり垂れていたのに比べれば、イエスの言葉は身近な示唆《しさ》を含んでいて、すこぶる新鮮なものに映っただろう。

——偉い人だけじゃなく、俺たちも救われるんだ——

イエスの人気はそこにあった。

イエスはなおも精力的に活動を続けていく。生涯の短さを知っていたのかもしれない。

その言動をたどっていくと、イエスは皮肉屋であった。韜晦《とうかい》趣味もあった。一部だけを告げて、

——あとは自分で考えなさい——

と、そういう教育法もしばしば用いている。

それに、口伝《くでん》というものは、もともとどんな情況で、だれを相手に話したか、それを抜きにして考えると、誤解に繫《つな》がってしまう。極端すぎたり、論理性や一貫性を欠いたり、揶揄《やゆ》を含んでいたりして、ペンによる著述のような客観性を持ちにくい。

それにしてもイエスの教えの中核はなんだったのか。新約聖書はかならずしも明解

には答えてくれていない。少なくとも簡単には答えてくれない。そうであればこそ二千年のキリスト教神学が存在しているわけだろう。

私は福音書を理解するために全文をコピイし、それをつぎの四つのグループに分けてみた。
1、教義を示しているもの。
2、たとえ話を主とするもの。
3、奇蹟を記しているもの。
4、事実の経過を記しているもの。
そのうえで、さらに第一のグループを読み返し、

——あまり本質的ではないな——

と思える部分を取り除いてみた。四つの福音書には重複もある。そのときは意味のより深いもの、意味のより明解なものを残した。大胆不敵な作業である。

その結果、最後に残ったものは……先に引用した山上の垂訓を含めて十二、三のトピックスが残ったが、その中からつぎの四つを……関連性のあるものとしてここに引用しておこう。

〃「わたしが来たのは律法や預言者を廃止するためだ、と思ってはならない。廃止す

るためではなく、完成するためである。はっきり言っておく。すべてのことが実現し、天地が消えうせるまで、律法の文字から一点一画も消え去ることはない。だから、これらの最も小さな掟《おきて》を一つでも破り、そうするようにと人に教える者は、天の国で最も小さい者と呼ばれる。しかし、それを守り、そうするように教える者は、天の国で大いなる者と呼ばれる。言っておくが、あなたがたの義が律法学者やファリサイ派の人々の義にまさっていなければ、あなたがたは決して天の国に入ることができない。」〃（〈マタイによる福音書〉第五章）

〃ファリサイ派の人々は、イエスがサドカイ派の人々を言い込められたと聞いて、一緒に集まった。そのうちの一人、律法の専門家が、イエスを試そうとして尋ねた。「先生、律法の中で、どの掟が最も重要でしょうか。」イエスは言われた。「『心を尽くし、精神を尽くし、思いを尽くして、あなたの神である主を愛しなさい。』これが最も重要な第一の掟である。第二も、これと同じように重要である。『隣人を自分のように愛しなさい。』律法全体と預言者は、この二つの掟に基づいている。」〃（同第二十二章）

〃「求めなさい。そうすれば、与えられる。探しなさい。そうすれば、見つかる。門をたたきなさい。そうすれば、開かれる。だれでも、求める者は受け、探す者は見つけ、門をたたく者には開かれる。あなたがたのだれが、パンを欲しがる自分の子供に、石を与えるだろうか。魚を欲しがるのに、蛇《へび》を与えるだろうか。このように、あなたがたは悪い者でありながらも、自分の子供には良い物を与えることを知っている。まして、あなたがたの天の父は、求める者に良い物をくださるにちがいない。だから、人にしてもらいたいと思うことは何でも、あなたがたも人にしなさい。これこそ律法と預言者である。」〟(同第七章)

〝ある議員がイエスに、「善い先生、何をすれば永遠の命を受け継ぐことができるでしょうか」と尋ねた。イエスは言われた。「なぜ、わたしを『善い』と言うのか。神おひとりのほかに、善い者はだれもいない。『姦淫《かんいん》するな、殺すな、盗むな、偽証するな、父母を敬え』という掟をあなたは知っているはずだ。」すると議員は、「そういうことはみな、子供の時から守ってきました」と言った。これを聞いて、イエスは言われた。「あなたに欠けているものがまだ一つある。持っている物をすべて売り払い、貧しい人々に分けてやりなさい。そうすれば、天に富を積むことになる。それから、わたしに従いなさい。」しかし、その人はこれを聞いて非常に悲しんだ。大変な金持ちだったからである。イエスは、議員が非常に悲しむのを見て、言われた。「財産のある者が神の国に入るのは、なんと難しいことか。金持ちが神の国に入るよりも、らくだが針の穴を通る方がまだ易《やさ》しい。」これを聞いた人々が、「それでは、だれが救われるのだろうか」と言うと、イエスは、「人間にはできないことも、神にはできる」と言われた。するとペトロが、「このとおり、わたしたちは自分の物を捨ててあなたに従って参りました」と言った。イエスは言われた。「はっきり言っておく。神の国のために、家、妻、兄弟、両親、子供を捨てた者はだれでも、この世ではその何倍もの報いを受け、後の世では永遠の命を受ける。」〟（〈ルカによる福音書〉第十八章）

四つは相互に関連がある。第一の引用の冒頭にある〝律法や預言者〟は、平たく言えば旧約聖書の教えであり、イエスは旧約聖書をけっして否定するのではなく、それを完成しようとしていたのであった。旧約を尊重し、新しい息を吹き込み、新しい解釈を求めて行こうとしていたわけである。

イエスの言葉は、たとえ話であったり、質問に対する断片的な返答であったり、戒めであったりして、まっ正面から教義の中核を語っているものは思いのほか少ない。イエスは、教義についてはむしろモーセの十戒など旧約聖書の中にそれを求め、そこから選び抜き、新しい意味を与えるといった方法を採っている。その根底にある規範は二番目の引用に示した神への完全な愛であり、そして実践的には隣人を自分自身のように愛することである。

三番目の引用は、そのことをさらに一歩進めたものであり、この数行はなかなか意味が深い。イエスの教えの一番中枢《ちゅうすう》にあるものと言ってもよいだろう。神がなんであるか、それは人知を超えている。だから、ただひたむきに、ひたすらに神に対してすがり求めること、神への完全な信頼があれば、かならずよい答が得られると述べている。隣人愛の具体的な指針として〝人にしてもらいたいことをあなたがしなさい〟と記している。やさしい言い方だが、この倫理の包容する範囲はとても広い。殺人はどうか、姦淫はどうか、親切はどうか、おのずと答が生まれる。一つ一つの行動について、

――これは自分にしてほしいことだろうか、してほしくないことだろうか――

と問いかければ、おのずと選択のめどが立つ。それを厳密に考え実践することが神の心に叶《かな》うことである。

最後の引用は……かなり手きびしい。イエスはこの議員が嫌《きら》いだったのかもしれない。虫のいどころもわるかった。このあたりが会話で教義を伝えることの難点であろう。その場の雰囲気《ふんいき》に支配され、本当の意味が見えにくくなってしまう。イエスの考えは、富や家族の全面否定ではなかったろう。〝姦淫するな、殺すな、盗むな、偽証するな、父母を敬え〟はモーセの十戒だが、当時のユダヤ人社会には、こうした旧約

の教えを表面的に守ってさえいればそれでよしとするような風潮があった。イエスはこうした戒律の背後にあるもの、つまり本当の神の心を問い続けろと言ったのであり、あわせて本来、物でしかない金銭が人間を支配している現状に対してもきびしい警鐘を鳴らしたわけである。たしかにこの議員は、安易に〝永遠の命を受け継ごう〟とした気配があり、イエスとしては、

「あんた、そんなこと、本気で考えてんなら、ちょっとやそっとの決心じゃ無理だよ。顔を洗って来な」

くらいの気分だったろう。

旧約の教えを尊重しながらも、その背後にある神の心を問うて、問うて、問い続けねばならないことを読み取らなければなるまい。

塩田丸男さんのエッセイに〈タトエ話の効用〉がある（小説新潮・平成四年七月号掲載）。なかなかおもしろい。ニュースの中からいくつかのたとえ話を拾いあげ、結論として〝下手な理屈をならべるより寸鉄のタトエ。それが世渡りのコツ、人生勝利の妙諦《みょうてい》である〟と結んでいる。たとえば、

〝海部《かいふ》首相が詰腹を切らされたあと、後釜《あとがま》を誰にするかでスッタモンダしたのは周知

の通り。

竹下派が「宮沢支持」を最終的に打出して、これで一件落着したわけだが、竹下派の中では、この決定に不服な連中がかなりいて、議員会館に集まって、愚痴をこぼしあった、という話が新聞に出ていた。

その愚痴っぷりが面白い。

「この人が今日からあんたたちのお父さんだからね、と急に言われたって、すぐになつけるものじゃないよなァ。」

と言ったのだそうだ〃

なるほど。ニュースはどんどん旧聞になってしまうけれど、政界の離合集散はくり返すから、このたとえ話のニュアンスは充分に汲《く》み取っていただけるだろう。

もう一つ。塩田さんのエッセイにはテレビの視聴率調査の正当性について語ったたとえ話もあって、これは現在七千万台もあると言われるテレビの視聴状態をたった三百世帯くらいの調査で推定するとはなにごとぞ、という批判に応《こた》えるものである。

〃「視聴率調査はスープの味見ですよ。大鍋《おおなべ》にいっぱいのスープの味を見るのに、バケツを使う必要はない。スプーン一杯で十分なのと同じことです。」〃

これもおもしろい。

たしかにむつかしい理屈を並べてクドクド説明されるより、切れ味鋭くサッとたとえ話で言われるほうが、わかりやすい。拍手を送りたくなる。グッと腹にこたえる。が、わかりやすいけれど、よくよく考えてみると、本当にわかったわけではない。わかったような気がするだけ……。切れ味の鋭さに心を奪われて、本当の吟味を忘れている。

たとえられるものと、たとえるものとでは、ある一つの視点から見るとよく似ているけれど、当然のことながら本質において異なっている。派閥の領袖《りょうしゅう》とお父さんは同じではない。そこには、ゲゼルシャフト的結合とゲマインシャフト的結合の差異がある。派閥は離合集散があって当然のものだし、家族は本来的に構成メンバーが変わるものではない。テレビの視聴率調査と鍋の味見は……いや、いや、もうやめておこう。たとえ話に拍手を送りながらも私たちはそこに見え隠れしている陥穽《かんせい》を忘れてはなるまい。

二千年の昔、イエスもまたたとえ話をよく用いる人であった。四つの福音書からそれぞれ一つずつ引用しておこう。

〟その日、イエスは家を出て、湖のほとりに座っておられた。すると、大勢の群衆がそばに集まって来たので、イエスは舟に乗って腰を下ろされた。群衆は皆岸辺に立っていた。イエスはたとえを用いて彼らに多くのことを語られた。「種を蒔《ま》く人が種蒔きに出て行った。蒔いている間に、ある種は道端に落ち、鳥が来て食べてしまった。ほかの種は、石だらけで土の少ない所に落ち、そこは土が浅いのですぐ芽を出した。しかし、日が昇ると焼けて、根がないために枯れてしまった。ほかの種は茨《いばら》の間に落ち、茨が伸びてそれをふさいでしまった。ところが、ほかの種は、良い土地に落ち、実を結んで、あるものは百倍、あるものは六十倍、あるものは三十倍にもなった。耳のある者は聞きなさい。」〟(〈マタイによる福音書〉第十三章)

〝ヨハネの弟子たちとファリサイ派の人々は、断食《だんじき》していた。そこで、人々はイエスのところに来て言った。「ヨハネの弟子たちとファリサイ派の弟子たちは断食しているのに、なぜ、あなたの弟子たちは断食しないのですか。」イエスは言われた。「花婿《はなむこ》が一緒にいるのに、婚礼の客は断食できるだろうか。花婿が一緒にいるかぎり、断食はできない。しかし、花婿が奪い取られる時が来る。その日には、彼らは断食することになる。だれも、織りたての布から布切れを取って、古い服に継ぎを当てたりはしない。そんなことをすれば、新しい布切れが古い服を引き裂き、破れはいっそうひどくなる。また、だれも、新しいぶどう酒を古い革袋に入れたりはしない。そんなことをすれば、ぶどう酒は革袋を破り、ぶどう酒も革袋もだめになる。新しいぶどう酒は、

新しい革袋に入れるものだ。』〃(〈マルコによる福音書〉第二章)

〃イエスは民衆にこのたとえを話し始められた。「ある人がぶどう園を作り、これを農夫たちに貸して長い旅に出た。収穫の時になったので、ぶどう園の収穫を納めさせるために、僕《しもべ》を農夫たちのところへ送った。ところが、農夫たちはこの僕を袋だたきにして、何も持たせないで追い返した。そこでまた、ほかの僕を送ったが、農夫たちはこの僕をも袋だたきにし、侮辱して何も持たせないで追い返した。更に三人目の僕を送ったが、これにも傷を負わせてほうり出した。そこで、ぶどう園の主人は言った。『どうしようか。わたしの愛する息子を送ってみよう。この子ならたぶん敬ってくれるだろう。』農夫たちは息子を見て、互いに論じ合った。『これは跡取りだ。殺してしまおう。そうすれば、相続財産は我々のものになる。』そして、息子をぶどう園の外にほうり出して、殺してしまった。さて、ぶどう園の主人は農夫たちをどうするだろうか。戻って来て、この農夫たちを殺し、ぶどう園をほかの人たちに与えるにちがいない。」彼らはこれを聞いて、「そんなことがあってはなりません」と言った。イエスは彼らを見つめて言われた。「それでは、こう書いてあるのは、何の意味か。

『家を建てる者の捨てた石、
　これが隅《すみ》の親石となった。』

その石の上に落ちる者はだれでも打ち砕かれ、その石がだれかの上に落ちれば、その人は押しつぶされてしまう。」そのとき、律法学者たちや祭司長たちは、イエスが自分たちに当てつけてこのたとえを話されたと気づいたので、イエスに手を下そうとしたが、民衆を恐れた〃（〈ルカによる福音書〉第二十章）

〃「わたしはまことのぶどうの木、わたしの父は農夫である。わたしにつながっていながら、実を結ばない枝はみな、父が取り除かれる。しかし、実を結ぶものはみな、いよいよ豊かに実を結ぶように手入れをなさる。わたしの話した言葉によって、あなたがたは既に清くなっている。わたしにつながっていなさい。わたしもあなたがたにつながっている。ぶどうの枝が、木につながっていなければ、自分では実を結ぶことができないように、あなたがたも、わたしにつながっていなければ、実を結ぶことができない。わたしはぶどうの木、あなたがたはその枝である。人がわたしにつながっており、わたしもその人につながっていれば、その人は豊かに実を結ぶ。わたしを離れては、あなたがたは何もできないからである。わたしにつながっていない人がいれば、枝のように外に投げ捨てられて枯れる。そして、集められ、火に投げ入れられて焼かれてしまう。あなたがたがわたしにつながっており、わたしの言葉があなたがたの内にいつもあるならば、望むものを何でも願いなさい。そうすればかなえられる。

あなたがたが豊かに実を結び、わたしの弟子となるなら、それによって、わたしの父は栄光をお受けになる。父がわたしを愛されたように、わたしもあなたがたを愛してきた。わたしの愛にとどまりなさい。わたしが父の掟《おきて》を守り、その愛にとどまっているように、あなたがたも、わたしの掟を守るなら、わたしの愛にとどまっていることになる。」〟（〈ヨハネによる福音書〉第十五章）

現代人の眼《め》で見れば、かならずしも鮮かなたとえ話には映らないかもしれない。だが、イエスの周辺に集まる民衆にとっては、平易で、新鮮であった。律法学者が小むつかしい言葉で説くのとちがって、身近なものが用いられているので聞きやすかった。

農耕民族にとって種とその実りは最大の関心事であった。一粒の種がどれほどの実りとなるか、民衆はよく知っていた。一粒の麦が地に落ち、それがやがて多くの実を結ぶように、一つの生命の犠牲により神の言葉もやがて地上を覆《おお》うであろう、という類似のたとえ話が〈ヨハネによる福音書〉に記されている。イエスの言葉も聞く耳を持たない者たちの中に落ちたならば、なんの価値もなく枯れてしまうが、良い土地に落ちれば何十倍にもなるだろう。

マルコからの引用は若干の説明が必要かもしれない。二つのたとえ話が語られているが、ここで言う花婿は、救世主であり、暗にイエスその人を指している。そして、二つのたとえ話は、ともに旧約の古い教えと、イエスが説こうとしている新しい教えとのかかわりを暗示している。古い教えは断食を奨励しているが、今、神の子である救世主が目の前に来ているときは、それどころではあるまい。その教えをよく汲み取り、花婿が奪われたのち（つまり十字架のあとで）その意味を噛《か》みしめるための断食をするほうが適当だろう。そもそも古い教えと新しい教えについて言えば、新しい救世主は古い革袋になじむものではない、新しい救世主は新しい革袋を必要とするものなのだ、と、イエスの主張はこのあたりにあっただろう。

ルカからの引用は、さらにわかりにくい。葡萄園《ぶどうえん》の主人は神である。農夫はイスラエルの歴代の指導者たちだろう。下僕は預言者と考えてよい。総じてイスラエルの歴史を寓意《ぐうい》している。神はイスラエルの土地を歴代の指導者たちに委《ゆだ》ね、しばしば預言者を送ったが、指導者たちはその言葉を聞かず、袋叩《ふくろだた》きにしてきた。神は最後に自分の息子を、つまりイエスを送ったが、指導者たちは、これも殺してしまう。そんなことをすれば、当然、神はその葡萄園をほかの人に与えてしまうだろう。「それでいいのかね」なのである。捨てられた石が家を築く大切な石となり、その石が罪ある者をさばくものとなることが、やや唐突ながら、最後に記されている。隅の親石という表現も、キリスト教独特の言い方として長く残るようになる。

これらに比べれば、ヨハネから引用したたとえ話はわかりやすい。説明をそえる必要もあるまい。

まったくの話、イエスのたとえ話は多岐にわたっている。深い意味を持つものもあれば、その場のやりとりに近いもの……つまり、敵対者から攻撃を受け、それをかわすためにヒョイと放ったような言葉もないではない。人口に膾炙《かいしゃ》した名文句〝カイザルのものはカイザルへ、神のものは神へ〟などは、その典型だろう。

当時のイスラエルは、ローマの支配下にあって、ローマの皇帝《カエサル》に税金を払っていた。民衆にとって愉快なことではなかった。イスラエル本来の神をこそ信奉し、ローマへの反逆を企てるべきではあるまいか。イエスに敵対する者たちが、イエスを陥《おとしい》れようとして意地のわるい質問を放った。

「ローマ皇帝への税金は払うべきものでしょうか」

と。イエスが「払いなさい」と言えば、それは民心の離反を招く。離反に向けて利用することができるだろう。イスラエルの神に対する冒瀆《ぼうとく》にもなりかねない。「払う必要がない」と答えたら、それはローマへの反逆であり、訴えて政治的に葬《ほうむ》ることができる。巧妙な罠《わな》であると同時に、これは政治と宗教にかかわる重大な問題でもあった。政治と宗教が完全に分離した社会ではさほどの問題とはなりえないが、当時のイスラエルにとっては本質的な問いかけでもあったろう。煎《せん》じ詰めれば、イスラエルの神を採るのか、ローマの皇帝を採るのか、という選択である。

イエスはそう簡単には罠に落ちない。相手の魂胆を察知し、税金として納める銀貨に眼を止め、

「これはだれの肖像ですか？」

と尋ね返す。

「ローマ皇帝です」

「じゃあ、言おう。皇帝《カエサル》のものは皇帝へ、神のものは神に返すのがよかろう」

と。固唾《かたず》をのんで聞いていた者たちは、イエスの答に驚き、感心して散って行った、と福音書は記しているけれど……もし、それが事実だとすれば、言葉の響きがよほどみごとだったからだろう。たしかに翻訳された日本語で聞いても「カエサルのものはカエサルへ、神のものは神へ」は、ここちよい。意味ありげに響く。

だが、わかったような、わからないような……。本質的な答にはなっていない。あえて言えば「とりあえず税金は払いなさい。しかし、神との約束を忘れてはいけませんよ」ということだろう。常識的な妥協であり、卓見というほどのものではない。神の教えを信ずるとしても、現実の二律背反に対してどう対処したらよいのか……私た

ちの周辺にはそういう問題が多いのだが、イエスはかならずしも明確に答えてはくれていない。「求めなさい、そうすれば与えられる」だけでよいのかどうか、悩ましいところである。

イエスが神の子であったかどうか。これは言うまでもなく信仰の根幹にかかわる大問題である。神の子である、と信ずれば、その眼前には、たしかに一本のおおいなる道が開けるだろう。

だが、私は信仰を持たない者である。イエスが神の子であったとは信じていない。だが、イエス自身、自分が神の子であると固く、固く信じていただろうと、そのことについては充分に私の想像は届く。そして神の子であることと、神の子であると固く信ずることとのあいだの距離は、さほど大きくはないと私は考える。この距離が絶大だと思う人もいるだろうが、私の考えはそれではない。イエスは一人の革命児であったし、革命者はいつの時代にあっても、なんらかの意味で神の子であることを確信していたであろう。

そして、私の考えに立ってみても、眼の前に一本の道が見えて来る。

イエスはいくつかの啓示を得て、自分が神の子であることを確信した。この確信の背景には当然のことながら、神の存在への確信がある。同じことと言ってもよい。はじめは萌芽《ほうが》のような弱い思案であったが、やがてそれは成長してゆるぎない確信へと変った。

——私は神の子としてこの地上に遣わされたのだ——

なにしろ全知全能の神を背中に背負っているのである。そうであるならば、神がいかなるものであるか、その説明は無用である。無用であるは言い過ぎかもしれないが、どの道、神がいかなるものかなど人間にわかることではないし、こざかしい疑問を抱くより、ただひたすらに信ずるほうが肝要である。なにしろ相手は人間を愛して、愛して、愛してやまない神なのだから……。

どういう神であるか、それをよく知ったうえで、

「よし、その神様を信じよう」

というのは、一見合理的のように見えるが、これは全知全能の神に対する作法ではない。福音書をつぶさに読んでみると、教義に属することは、あまり記されていない。教義というのは、言ってみれば「私はこういう神様ですよ」という自己紹介のようなものである。そんなものをいちいち言う必要はない、部分的に漏れこぼれるのはともかく、積極的にそれを人間たちに伝える必要はない、それが福音書の方針である。私

にはそう読める。

くり返して言うが、神は全知全能であり、人間を深く愛しているのである。よくしてくれないはずがないではないか。要は疑いを持たずに神を信ずること……。福音書の内容が〝どのような神であるか〟ということより〝疑いを持たずに神を信じなさい〟と、その方向に力点が置かれているのも、当然の帰着であろう。

だからこそ（くり返して引用するが）、

〝「求めなさい。そうすれば、与えられる。探しなさい。そうすれば、見つかる。門をたたきなさい。そうすれば、開かれる。だれでも、求める者は受け、探す者は見つけ、門をたたく者には開かれる。あなたがたのだれが、パンを欲しがる自分の子供に、石を与えるだろうか。魚を欲しがるのに、蛇《へび》を与えるだろうか。このように、あなたがたは悪い者でありながらも、自分の子供には良い物を与えることを知っている。まして、あなたがたの天の父は、求める者に良い物をくださるにちがいない。」〟

なのである。そして実践的な規範として、

〝「人にしてもらいたいと思うことは何でも、あなたがたも人にしなさい。」〟

が示されているわけだ。ロジックは一貫している。

あとは神の存在を……具体的にはイエス自身が神の子であることの証明を呈示すれ

ばそれでよい。証明が明確で、力強ければ、そのぶんだけ元に立ち返って、「私は神の子である」というテーゼが明確に、力強く裏打ちされることとなり、ロジックの一貫性も保証される。

下世話な言い方が許されるなら、

「とにかく信じなさい、わるいようにはしない、神なんだから」という主張は、その拠《よ》りどころを〝本当に神かどうか〟に賭《か》けているといってもよいだろう。

神の子であるという固い確信を持ったイエスは、その証明の方法として、人間の原罪を一身に背負って十字架に懸かり、死後に復活してみせるという道を選んだ。これもまた、なにかしらイエスの中に啓示があったのかもしれない。

話を福音書の記述に戻そう。

自分は神の子であるという強い確信を自覚したイエスは（もともと神の子であるならば、確信もへちまもないわけだが）その確信を少しずつ周囲にあらわにし始める。

前回触れたことだが、弟子たちに問いかけて、

「あなたは救世主です。神の御子《みこ》です」

とペテロに言わせたのも、この頃《ころ》であったし、さらにその直後に、イエスは、

「私はエルサレムに行き、そこで殺され、三日後に復活する」と弟子たちに宣言して

いる。

一番弟子のペテロはそれを聞いて、

「とんでもない。そんなことがあってはなりません」

と叫ぶが、イエスの返答は場ちがいなほど手きびしい。ペテロに向かって、

「サタンよ、引きさがれ。私の邪魔をするのか」

なのだから……。ペテロは驚いただろうなあ。イエスは言葉を続けて、

「神のことを思わず、人間のことを思っている」

と、ペテロを戒めた。

その通り。神のことを思わなければ、イエスの行動とロジックは理解できない。神の子であることの証明がなければ、イエスのそれまでの言動は大幅に意味を失う。そう言われても仕方がないだろう。

イエスの行動に矛盾はない。復活を予告したあと、イエスは、もっとも信頼している三人の弟子ペテロ、ヤコブ、ヨハネを連れて高い山に登った。カペナウムから北へ六十キロ、シリア・レバノン国境に位置するヘルモン山（海抜二八一四メートル、フィリポ・カイザリアからは近い）だという説もあるが、少々山奥にすぎる。ナザレの東にあるタボル山（海抜五八八メートル）のほうを採ろう。

登り着くと、弟子たちの眼の前でイエスの姿が変った。顔は太陽のように輝き、衣服は光のように白くなった。モーセとエリヤが現われ、イエスを囲んで語りあう。天から声が聞こえた。

「これは私の愛する子。私の心に適《かな》う者」

と。ひれ伏しておののく弟子たちにイエスが近づいて声をかけた。

「おそれることはない」

イエスが神の子であるという証明の、その第一弾であった。この奇蹟《きせき》は、私などにもすこぶる納得のいくものである。イエスに導かれて人気《ひとけ》のない高山へ登った三人の弟子たち。森閑として周囲には霧などもたちこめていたかもしれない。

——師の様子がただごとではない——

それもそのはず、イエスの確信はゆるぎない極点に達していた。

——私は神の子なのだ——

その自覚が言葉となってほとばしり、態度となって溢《あふ》れる。今までに見たこともないほど神々《こうごう》しい師の姿であった。弟子たちは思っただろう。

——まるで神様が乗り移ったみたいだ——

モーセとエリヤの来臨を感じ、その姿を髣髴《ほうふつ》することもできただろう。おそれおの

のき、

——まさしく神の御子だ——

と感じたにちがいない。こうして弟子たちはイエスの変容を〝見た〟のであった。

こんな解釈は卑俗に過ぎるだろうか。

いずれにせよ、このうえなくドラマチックな出来事だったから絵画にもよく描かれている。

一番名高いのはラファエロの〈キリストの変容〉だろう。画面の中央に高くイエスが両手を広げて舞いあがり、右にモーセ、左にエリヤ、これも宙に浮いてイエスを見つめている。足もとの岩に伏しておののく三人の弟子たち、福音書の記述をそのまま再現している。バチカン美術館の宝物の一つである。

このあとイエスは二度、三度と自分の死と復活を予告して聖都エルサレムに入城する。神殿にたむろする商人たちに八つ当たりのような暴力をふるって追い出したのは、神の聖域が侵されていることに対してよほど腹にすえかねるものがあったからだろう。

「エルサレム、エルサレム

預言者たちを殺し、自分に遣わされた人々を石で打ち殺す者よ、めん鳥が雛《ひな》を羽の下に集めるように、私はお前の子らを何度はぐくもうとしたことか。

だが、お前は応じようとしなかった。

見よ、お前たちの家は見捨てられ、荒れ果てる」

と、エルサレムのために嘆いたイエスの声は痛ましい。歴史を眺《なが》めれば、エルサレムはその通りの都であり、そしてまたあらたにもう一人、神から遣わされた人を殺そうとしているのであった。

終焉《しゅうえん》の日は刻一刻と近づいていた。イエスは決められた日を心に記して敢然と歩み続ける。


話は変わるが、F・フォーサイスの世界的なベストセラー小説〈ジャッカルの日〉を読んだとき、

——はて——

と、私は思案をめぐらした。おかしな連想が心をよぎった。

ジャッカルと呼ばれる殺し屋は、非合法組織からド・ゴール大統領暗殺の依頼を受ける。ジャッカルは狙撃《そげき》の日を一九六三年の八月二十五日と決定する。パリ解放の記念日。大統領は祝典のためにかならず市民広場に姿を現わすだろう。ジャッカルは狙撃の方法も位置もタイミングもすべて決めて、それにあわせてその日のための準備を

整える……。これはよくわかる。敏腕な殺し屋ならば、きっとそうするだろう。

一方、見えない暗殺者を迎え討つのは、フランス警察のクロード・ルベル警視であった。非合法組織が大統領暗殺のために殺し屋を雇ったらしいという情報を得たルベルは、見えない糸を一心にさぐり始める。かすかな手がかりを頼りにジャッカルと呼ばれる男の足跡を捜す。

そして、相当に早い時期に、

――ジャッカルは、決行の日を先に決め、そこから逆算して、すべての計画を一歩一歩、実行している――

と、ルベルは見ぬく。

ジャッカルのスケジュール表を的確に知ることがジャッカルを捕らえることに直結していると、彼は考える。この発見が小説の醍醐味《だいごみ》と繫《つな》がっている。

私が不思議に思ったのは……ジャッカルの存在もまだ不確かなときに、どうしてスケジュール表がきっかりとできているとルベルは思ったのか、その炯眼《けいがん》ぶりが少し不自然にさえ感じられたからである。

――ルベルはクリスチャンなんだ――

と、つぎに私の連想が広がった。

ルベルはフランス人である。フランス人ならばカトリック教徒と考えてほとんどまちがいあるまい。幼いときから教会に通い、たっぷりと聖書の話を聞かされているだろう。ルベルはとりわけそうだったのかもしれない。

そう、すでに賢明な読者はお気づきかもしれない。

イエスもまたきっかりと運命の日を決めてそれに従って行動をしていた、と、敬虔《けいけん》なクリスチャンならば聖書をそう読んでいるはずだ。そうであればこそ、ルベルもジャッカルの影を見て、

――こいつもそうだな――

と感づいたのではあるまいか。

もちろん、これは私の勝手な想像である。著者のフォーサイスもそこまでは考えていなかっただろう。

しかし、イエスがスケジュールにあわせて行動していたのは本当であった。福音書はそう読むべきであろう。十字架刑と三日後の復活、それにあわせ、そこから逆算して、タボル山の変容、エルサレム入城、最後の晩餐《ばんさん》、ゲッセマネの祈りを実行していた。それについてはまた次回に記そう。

6 ゴルゴタへの道

写真家の姉崎一馬さんは、木と森林の写真を撮り続けている。

「そういう写真家は多いんですか」

「専門て人は少ないですね。日本では数人かな」

「どこがおもしろいんです？」

「大自然の時間が凝縮されていますから」

なるほど。樹齢千年を越す大木もけっしてめずらしくはない。あるものはひっそりと、あるものは人間と深いかかわりを持って生き続けて来た。心の眼《め》で眺《なが》めれば、その歴史が見えてくるだろう。

——こいつは知ってるんだよなあ——

歴史的な事件を目撃した老木もいくつかあるだろう。

その一つ……。エルサレムの東にゲッセマネの園がある。古くからオリーブの林があったところで、今は万国民の教会が建っている。名前の由来は、いろいろな国々からの献金で建立《こんりゅう》されたから。見どころの多い名所の一つだが、教会の敷地の中にオリーブの老木が数本、太い幹をねじらせていて、

「はい、これはイエス様の時代のものです」

と、ガイド氏が説明してくれる。たいていのガイドブックに写真が載っている。みごとなパネル写真も売っている。

——本当かいな——

眉《まゆ》に唾《つば》をつけたくなるけれど、イエスが沈思黙考の場として、このあたりの林野を愛したのは本当だった。とりわけよく知られているのが、ゲッセマネの祈り、磔刑《たっけい》前日の出来事である。その前後の事情をかいつまんで説明すれば……ゲッセマネの園に入る少し前、イエスは十二人の弟子たちと一緒に食事をとった。モーセの故事をしのぶ過越祭《すぎこしのまつり》の第一日目、あるいはその前日と、説は分かれるが、後者のほうが信憑性《しんぴょうせい》が高い。いわゆる最後の晩餐である。

食事の最中にイエスは手を止めて、

「あなたたちの一人が私を裏切ろうとしている」

と告げた。

「まさか」

「私じゃありません」

「だれですか」

弟子たちは驚いて口々に叫んだ。イエスは言葉を続けて、

「私と一緒に食べ物を鉢《はち》に浸した者が私を裏切る。私はどの道去って行くが、私を裏切った者には不幸が残る。生まれて来なかったほうがよかったものを」

と呟《つぶや》いた。

イエスのすぐ近くにすわっていたユダが体を傾けて、

「それはだれです？」

と尋ねた。イエスはパンを鉢に浸してユダに与え、

「あなたがしようとしていることをしなさい。今すぐに」

と小声で言った。

ユダはあたふたと席を立つ。

ほかの弟子たちは、

——買い物にでも行くのかな——

と、深くは考えなかったらしい。ユダは一同の会計係であり、こうした用向きをイエスのためにときどき果たしていたからである。

それに……イエスの言葉はこれまでにもわかりにくいことが多かった。「裏切り者がいる」という発言は、それ自体ただごとではないものを含んでいるけれど、イエスは平然としている。

──またたとえ話かもしれない──

弟子たちはそう考えたのではあるまいか。イエスはユダにだけその人がだれか、こっそりと告げたのだろう。裏切りがあろうとなかろうと、どの道、イエスはこの世から去って行くのである。この件について気がかりと言えば、ユダのあわれな運命だけであった。

ユダが去って行ったあとで、イエスはパンを取って祈り、それを切り裂いて弟子たちに与えた。

「食べなさい。これは私の体である」

ついで葡萄酒《ぶどうしゅ》を満たした盃《さかずき》を取って祈り、

「みんな、この盃から飲みなさい。これは私の血である」

そして、それが神との新しい契約であることを弟子たちに告げた。パンと葡萄酒による契約の儀式は、この故事を受け継いで今でも教会でおこなわれている。

会食の家を出たところでイエスはペテロを呼び止め、

「あなたは今夜、鶏が鳴く前に三たび私のことを知らないと言うだろう」

と予告したことは、すでに述べた。なにもかもイエスには見えていたのだろうか。

ゲッセマネと呼ばれる園はエルサレムの神殿を囲む城壁の外側にあった。キドロンの谷を距《へだ》てて西側の黄金門を望む丘である。イエスは二キロ足らずの道を歩いてオリーブの林へ入っただろう。エルサレムに来たときにはいつもこのあたりを祈りの場としていたのである。

引用を試みよう。

〝一同がゲッセマネという所に来ると、イエスは弟子たちに、「わたしが祈っている間、ここに座っていなさい」と言われた。そして、ペトロ、ヤコブ、ヨハネを伴われたが、イエスはひどく恐れてもだえ始め、彼らに言われた。「わたしは死ぬばかりに悲しい。ここを離れず、目を覚ましていなさい。」少し進んで行って地面にひれ伏し、できることなら、この苦しみの時が自分から過ぎ去るようにと祈り、こう言われた。「アッバ、父よ、あなたは何でもおできになります。この杯をわたしから取りのけてください。しかし、わたしが願うことではなく、御心《みこころ》に適《かな》うことが行われますように。」それから、戻って御覧になると、弟子たちは眠っていたので、ペトロに言われた。「シモン、眠っているのか。わずか一時《いっとき》も目を覚ましていられなかったのか。誘惑に陥らぬよう、目を覚まして祈っていなさい。心は燃えても、肉体は弱い。」更に、向こうへ行って、同じ言葉で祈られた。再び戻って御覧になると、弟子たちは眠っていた。ひどく眠かったのである。彼らは、イエスにどう言えばよいのか、分からなかった。イエスは三度目に戻って来て言われた。「あなたがたはまだ眠っている。休んでいる。もうこれでいい。時が来た。人の子は罪人《つみびと》たちの手に引き渡される。立て、行こう。見よ、わたしを裏切る者が来た。」〟（〈マルコによる福音書〉第十四章）

この夜、イエスは異常と言ってよいほどの恐怖におののいていた。死ぬばかりに悲しかった。アッバというのは、父である神への呼びかけである。悶《もだ》え苦しんで祈るイエスの体から汗が血のように地面にしたたり落ちたと言う。

——明日は十字架に懸かる——

神の子であることを確信し、自分の使命についても明確な展望を持っていたイエスではあったが、その前夜に到《いた》って、

——私の確信はまちがっていなかっただろうか——

不安が心にのぼって来た。

なにごとであれ、命を賭《か》けた決断の前夜……信念に生きる者にとって、この疑念ほどの苦悩はほかにありえない。このときのイエスの祈りは、

「神よ、できることなら、こんな重い使命から私を解き放ってください」

であり、いったんは弱音を吐いたものの、ふたたび思いなおして、

「しかし、私の願いなんかに耳を貸さず、御心のままに導いてください」

に変った。矛盾する心理が垣間《かいま》見えるではないか。

ゲッセマネの祈りをどう解釈するか、神学的にはさまざまなことが言われている。マタイ、マルコ、ルカ、三つの福音書が同じような内容を記しているが、それだってどこまで正確かわからない。

しかし、私は福音書の記述をすなおに読む限り、いま記した解釈がもっともふさわしいように思えてならない。そしてもう一つ、私的な感想を述べれば、私は新約聖書の全篇を通じて、ゲッセマネのイエスが一番好きである。感動的である。一番人間らしく、崇高に映るからである。

明日は命を賭けて使命をまっとうする。これまでの長い月日もひたすらそのために耐えて生きて来た。人類の救済を企てた革命家が、

――はたして俺《おれ》はまちがっていないのか――

激しい疑問にさいなまれた。

この不安は真実彼をおののかせ、身悶えさせ、汗を血に変えることさえあるかもしれない。

――死ぬばかりに悲しい――

なにかにすがりたい。祈りたい。

長い煩悶《はんもん》のすえ、彼はふたたび確信を取り戻す……。イエスだけではない。命を賭けて信念を貫こうとした革命家には、いつだってこんな夜があったのではなかろうか。決行を前にした最後の煩悶が。

どれほどの時間が経過したのだろうか。多分一、二時間……。

「もうこれでいい。時が来た。人の子は罪人たちの手に引き渡される。立て、行こう。見よ、わたしを裏切る者が来た」

と呟いたとき、イエスは日ごろの平静さと威厳を取り戻していただろう。すべてが予測通りの成り行きなのだから……。

ゲッセマネの園と言えば、もう一つ、小さな疑問がある。ペテロ、ヤコブ、ヨハネ……イエスが信頼した三人の弟子たちは、イエスの願いにもかかわらず、なぜ眠ってしまったのだろうか。一度ならず三度も。長旅のあとで疲れていた、晩餐の食事と酒のせいで瞼《まぶた》が重くなっていた、と、そんな説明もあるけれど釈然としない。

イエスの苦しみはそれなりに見えたはずである。うかうかと眠っていられるような情況ではなかった。三人そろって眠ってしまうなんて……もし事実であるならば、本当に腹心として頼ってよい連中だったのかどうか、そんな疑問さえ感じてしまう。

——眠り薬かな——

一篇の推理小説を思わないでもないが、ここでは触れずにおこう。

イエスを捕縛する人たちに混ってユダがやって来た。捕縛者の群は手に手に剣や棒を持っている。

「私が接吻《せっぷん》する相手がイエスだ。捕まえて、逃がさないように連れて行け」

と、ユダはあらかじめサインを決めてイエスに近づく。

「先生」

と呼びかけ、イエスに口づけをした。

たちまち捕縛者の群がイエスに襲いかかる。

すわ一大事。ペテロは持っていた剣で、イエスを捕らえようとする男の耳を切った。

「よせ。剣を持つ者は剣で滅びる。私はここにいる。そんなに大勢で暴力をふるう必要はない」

と、イエスはみずから進んで捕縛された。イエスにしてみれば、なにもかも預言書に記されていることなのだから……。それを実現することに、もうためらいはなかった。

かくてイエスは大祭司カヤパのところへ連行される。夜中であったが、急遽《きゅうきょ》最高法院が召集され、裁判が開かれた。ユダヤ教の律法学者や長老たちは偽証をしてまでもイエスに罪を着せようとしたが、なかなか決め手が見つからない。

イエスはおし黙っていた。

最後に大祭司が尋ねた。

「お前は神の子なのか、本当に救世主《メシア》なのか」

「それは、あなたがたが言っていることです。しかし、私は言っておこう。やがてあなたたちは私が全能の神の右にすわり、天の雲に乗って来るのを見るだろう」

婉曲《えんきょく》な言い方ではあったが、質問に対する答としては「その通り。私は神の子にして救世主である」であろう。

大祭司は服を引き裂いて怒り、

「神を冒瀆《ぼうとく》している。諸君、この言葉を聞いてどう思うか」

「死刑だ、死刑だ」

いっせいに声があがる。

もともとこういう結論が予測された裁判だったろう。

このとき、ペテロが庭の隅《すみ》に潜んでいて、女中に見つかり、

「あんた、あの男の仲間だろ」

「いや、知らん、知らん」

三たびイエスを知らないと言ったエピソードもすでに紹介した。ガリラヤ出身の弟子たちにとっては、大都エルサレムは眩《まぶ》しすぎたろう。頼るべき知人もいないし、土地勘もとぼしい。ただウロウロと戸惑うよりほかになかった。後年の活躍はともかく、この時期のペテロは、律義《りちぎ》なだけの田舎のおっさんみたいな気配があって、むしろほほえましい。

ペテロの慟哭《どうこく》をよそに最高法院はイエスに対して〝神に対する著しい冒瀆、ゆえに死刑が妥当〟という結論に達する。夜が明けるのを待ってイエスの身柄《みがら》はローマ総督ピラトの館《やかた》に送られた。

当時のイスラエルはローマの支配下にあったから、死刑の執行など重大な決定はローマ総督の権能に属していた。

ピラトはローマの法律を踏まえてイエスを尋問しただろう。イエスの罪状は、

一、民衆を唆《そそのか》し、暴動を画策した。

二、ローマへの納税を拒んだ。

三、自分は王である、と公言した。

三点に要約されるだろう。はじめの二つは事実に反するし、三は、似たような言動

があったとしても、それは地上の王ではなく、神の世界に属することである。ローマの法律を犯すものではない。ピラトとしては無罪の心証を得て、そのことを口に出して言ったが、イエスを追って来た群衆は、律法学者や長老に唆されて、

「死刑だ」

「十字架に懸けろ」

と叫び続ける。

ピラトは、イエスが「ガリラヤの生まれだ」と言っていたこと、そしてそのガリラヤ地方の王ヘロデスがたまたまエルサレムに来ていることを思い出し、イエスの身柄をいったんヘロデス王に預けた。洗礼者ヨハネの首を斬《き》ってサロメに与えた、あのヘロデス・アンティパスである。

俗物で好奇心旺盛《おうせい》な王は、かねてからイエスがどんな男か、見たがっていた。ピラトの館から廻《まわ》されたイエスを喜んで迎え、命乞《いのちご》いでもされたら、

――一肌《ひとはだ》脱いでやるかな――

くらいの気持ちはあっただろうけれど、イエスのほうは今さらこんな王の前に頭をさげるはずがない。洗礼者ヨハネを惨殺《ざんさつ》した王なんか見るのもけがらわしい。なにを聞かれても返事をしなかった。シカトをきめ込んでいたわけである。めんつを潰《つぶ》され

たヘロデス王は、

「気に入らん。死刑がいいな」

イエスを嘲《あざけ》り、さんざん侮辱してピラトのもとへ返した。

ピラトは困惑する。

「この人は死刑に値する罪を犯していない。こらしめの鞭《むち》を打って釈放しよう」

と提案したが、民衆の声はあい変らず、

「死刑だ、殺せ」

と叫んでいる。

ピラトはかならずしも民衆に評判のよい総督ではなかった。そうであればこそ、ここで民衆の心をつかまえておくほうが得策だろう。

窮余の一策としてピラトは考えつく。過越祭《すぎこしのまつり》のときには、囚人を一人、民衆の要望に応《こた》えて釈放するのが習慣であった。ちょうどバラバという名の殺人犯が捕らえられていた。ピラトは集まった群衆に尋ねる。

「どちらを釈放したら、いいんだ? バラバか、イエスか」

ピラトとしては、どう見てもバラバのほうが罪状が濃いのだから、こう質問すれば当然イエスが救われると思ったのである。

しかし、たけり狂った群衆は、

「イエスを十字架に懸けろ」

と、要求する。

ピラトはさらに、

「私はこの人に罪を見出《みいだ》せない」

と、イエスを弁護したが、群衆の要求はやはり、

「イエスを殺せ。十字架に懸けろ」

であった。

イエスは鞭で打たれ、茨《いばら》の冠をかぶせられ、群衆の前に突き出される。

ピラトがこのとき告げた言葉が名句として残っている。十九世紀の哲学者ニーチェの名作にもこのタイトルがつけられている。ラテン語で言えば「エッケ・ホモ」。ピラトとしては、この男に罪があるかどうかよく見てくれ、くらいの気持ちだったろう。

「見よ、この人を」

「イエスを殺せ。十字架に懸けろ」

雲行きがわるい。これ以上イエスをかばうと民衆の反感を買う。暴動でも起きたらピラト自身の立場が危くなる。

「そうか。じゃあ、お前たちの望み通りにしてやろう」

かくてバラバはは釈放され、イエスの十字架刑が決定した。

話は少し変るが、新約聖書について私は次のような痛烈な指摘を読んだことがある。つまり〝福音書をいくら読んでもイエスの言動はわからない。見えてくるのはマタイ、マルコ、ルカ、ヨハネ、それぞれが置かれた立場であり、彼等がイエスをどう見ればよいと考えたか、その背景である〟と。誇張した言い方だが、当たっているところもある。福音書の筆者がだれか、名前は残されているが、実像はかならずしも明確ではない。筆者たちは生きているイエスを知らず、それぞれが苦しい情況の中で伝道に励んでいただろう。福音書は布教の揺籃《ようらん》期に書かれたマニュアルでもあった。

――イエスをどう伝えたらよいか――

少なからず主観が作用していただろう。

ピラトについては、イエスの無実を知っていながら結局は旧勢力と妥協して死刑を宣告した人と、その事実は変えようもないけれど、それとはべつに最後までイエスを救おうとした、と、その努力も見え隠れに記されている。

――いい人だったのかな――

そんな気さえしてくる。

だがこれは、ローマへの伝道が望まれていた時代に（まさにそれが福音書の記された時代であったのだが）ローマ人をわるく書きたくないという配慮から書かれたものであると、そう言われてみれば、

——なるほどね——

皮肉な読み方も可能となってくる。ピラトは思いのほかあっさりと、冷酷にイエスの磔刑《たっけい》を宣告したのかもしれない。イエスは大衆を煽動《せんどう》しかねない力量を備えていたのだから……。

磔刑は私刑ではない。ピラトの命を受けたローマ兵士がイエスを引き立て、狂乱した群衆があとを追っていく。兵士たちはイエスに紫の服を着せ、茨の冠をかぶせ、さながら道化のような服装をさせたうえで、

「ユダヤの王、万歳」

と、からかいながら大袈裟《おおげさ》に敬礼し、頭を小突き、唾《つば》を吐きかけ、思うままもてあそぶ。

それから紫の服をもとの服に着せ替え、十字架を背負わせて刑場へと追いたてる。ピラトの館からゴルゴタの丘まで。ゴルゴタは、古いヘブライ語でしゃれこうべのことであった。丘の形が小高く盛りあがって頭蓋骨《ずがいこつ》のように見えたからだろう。この道

筋はビア・ドロローサ（悲しみの道）と呼ばれ、現在はご多分に漏れずエルサレム観光の名所となっているが、狭い道を挟《はさ》んでちまちました商店が軒を並べ、人通りも多い。ガイド氏が、

「掏摸《すり》に気をつけてください」

と、しきりに叫ぶところである。

地形はもちろん昔と変っているが、イエスはこの一キロ足らずの道筋にもいくつかのエピソードを残している。それが今、混雑した町並みのところどころにレリーフとなりタイル画となりラテン語の表示となって記されている。十四のステーション……。たとえばイエスが最初に倒れた地点、母マリアに会った地点、キレネ人シモンがイエスに替って十字架を担《かつ》いだ地点、ベロニカという女がイエスにハンケチをさし出した地点、イエスが二度目に倒れた地点、イエスが婦人に声をかけた地点、三度目に倒れた地点……などなどである。これらのエピソードについて福音書はさほど克明には記していないけれど、あとで加えられたフィクションも含めてゴルゴタへの道中は定着したイメージを作り出している。

たとえば、さまよえるユダヤ人をご存知だろうか。

彼もまた大勢の野次馬と一緒に、苦しむイエスをからかっていた。道端に彼の家が

あり、イエスが一瞬その軒下で足を止めたが、

「なんだ、お前。早く行け」

と、彼は無情に追いたてた。イエスは鳶色《とびいろ》の眼《まな》ざしでじっと彼を見つめてから、

「行けというのなら行かないでもないが、あなたは私が帰って来る日まで待っていろよ」

おごそかに呟いた。

キリストは十字架に懸り、復活したが、それはここで言う〝帰って来る日〟ではなかったらしい。最後の審判の日、神の子イエスが来臨する日が、イエスの帰って来る日であった。

一種の呪《のろ》いであろうか。こうしてこのユダヤ人はイエス来臨の日まで……人類最後の日まで死ぬことができず時代を超えて地上をさまようこととなる。

福音書にある話ではない。だが伝説は伝説を生み、多くの芸術家がこのテーマに挑《ちょう》戦《せん》している。シャミッソー、アポリネール、ワーグナー。博学の奇才芥川龍之介《あくたがわりゅうのすけ》も書いている。芥川の筆によれば、さまよえるユダヤ人は日本にも来ているらしい。長崎の近くでフランシスコ・ザビエルに会っている。

――なぜこのユダヤ人だけが呪いをかけられたのだろうか――

それが芥川の疑問だった。イエスを嘲ったユダヤ人はいくらでもいただろう。たしかに彼だけが呪いを受ける理由は見出しにくい。

芥川らしい結論が記してある。

つまり……イエスに見つめられ、その男もまたイエスを見つめ返した。イエスの神々《こうごう》しい眼ざしは不思議な気配を帯びていた。

——しまった——

瞬時にして彼は自分がたった今犯した罪の深さを自覚した。罪の自覚がなければ呪いも効きめを持たないだろう。イエスを罵《ののし》った群衆の中で彼一人が罪を深く自覚したのであり、それゆえに呪いを受けてさまようことになった、というのが芥川の解釈である。なかなかおもしろい。縁なき衆生《しゅじょう》には呪いもかかりにくいのだろう。

この伝説の誕生は十七世紀初頭のドイツ。イエスの磔刑からこれだけ年月が経《た》ってしまっては、まちがいなくフィクションだろうけれど、小説家の好奇心を唆《そそ》るエピソードではある。男は名前まで残されていて、アハシュエロス。白髪白髯《はくぜん》の老爺《ろうや》で今はキリストを敬愛してやまない。日本のどこかにまた現われるかもしれない。読者諸賢の中で、もしこの男にお会いになったかたがおられたらぜひぜひ御一報をいただきたい。

話を聖書に戻して……十字架刑はもっとも苛酷な刑罰であった。すぐには死ねない。苦しんで、苦しんで、少しずつ死ぬ。裸で吊《つる》され、醜態をさらす。このうえなく屈辱的な刑罰でもあった。

イエスはおびただしい責め苦にあい、充分に疲弊していただろう。イエスの母マリアが群衆の中にいたかどうか、福音書はなにも記していない。人込みに隠れてそっと見ていた、と、史実としては根拠は薄いけれど、人情としてそんな光景が眼《め》がしらに浮かぶ。

ローマ人兵士は、イエスが刑場に着く前に疲れ死んではつまらないと思ったのか、それともなにほどかの同情があったのか、あるいはただの気まぐれからか、田舎からエルサレムに出て来たばかりのシモンという男に、イエスの十字架を担《かつ》がせた。ほんの短い距離ではあったが、イエスの苦痛はそのぶんだけ軽減されただろう。野次馬の中にもイエスを慕う人がいなかったわけではあるまい。弟子たちはどうしていたのか。イエスに病気を治してもらった人もいただろう。ただ彼等はことの成り行きに呆然《ぼうぜん》とし、後難を恐れて遠まきに涙の視線を送るだけだった。とりわけ女たち……。ベロニカという女がハンケチをさし出したのは、人間としての自然な感情だったろう。それとも、以前にイエスより恩恵を受けた人だったのか。

イエスは女たちに呼びかける。

「エルサレムの娘たちよ。私のために泣くな。むしろ自分と自分の子どもたちのために泣け。子どもを持たない女がさいわいだと言う日がきっと来る」

エルサレムに未来はない、この都が末期的な状態であることを警告する。

一歩、また一歩……。ふたたび十字架を負わされたイエスは息も絶え絶えに倒れながら、ようやく刑場にたどり着く。

すでに十字架を立てる穴は掘られていた。兵士たちはイエスに没薬《もつやく》を混ぜた葡萄酒《ぶどうしゅ》を与えたが、イエスは飲まなかった。イエスの衣服を脱がせ、くじを引いて分けあい、裸の体を釘《くぎ》で十字架に打ちつけた。その頭上には〝ユダヤ人の王イエス〟と嘲りの文字が記されている。イエスは呟《つぶや》いた。「父よ、彼等をお赦《ゆる》しください。自分がなにをしているか知らないのです」と。

このとき二人の強盗が一緒に十字架に懸けられた。イエスをまん中にして左右の位置だったろう。

十字架に懸けられて苦しむイエスを見て、群衆の中から、

「おい、救世主なんだろ。だったら自分を救ってみろよ」

罵りの言葉と一緒に笑いが飛ぶ。見世物を見る気分……。民衆は時としてひどく残

酷になるものだ。強盗の一人が、

「まったくだ。ついでに俺《おれ》たちも救ってくれ」

と、眼をむいてイエスを睨《にら》んだが、もう一人が相棒をたしなめて、

「俺たちは当然の報いよ。しかし、この人はなにもわるいことをしちゃいない。イエスさんよ、天国に行くときにゃ俺を思い出してくれよな」

と懇願した。

イエスはやさしい視線を向けて、

「わかった。あなたは今日私と一緒に楽園に行くだろう」

と囁《ささや》いた。

イエスが十字架に懸けられたのは、午前九時頃。昼の十二時に空も地もまっ暗になり、それが三時まで続いた。日蝕《にっしょく》かな。太陽は光を失い、異様な静けさが漂う。

イエスが叫んだ。

「エリ、エリ、レマ、サバクタニ」

その意味は〝わが神、わが神、なぜ私をお見捨てになるのですか〟だが、このときイエスの心に去来したものはなんだったのか。これもまた神学上の大問題である。

この言葉そのものは、旧約聖書の詩篇第二十二章の冒頭にあるもので、第二十二章

の詩は、全体としてはたしかに神をあがめる内容である。そう読み取ることができる。イエスはこの詩を日ごろから愛唱しており、最期《さいご》にその冒頭を唱えて神への讃美《さんび》とした……と、そんな主旨の解釈がよく見られるが、本当にそうだろうか。愛唱の文句を呟いたにしては、言葉本来の意味が痛ましすぎる。情況もまた痛ましい。

私は思う。ゲッセマネで感じた不安がふたたびイエスを襲ったのではあるまいか。神の啓示を確信し、神の子として死んで三日後に復活すると、固く、固く信じていたイエスではあったが、いくばくかの不安が心をかすめることはあっただろう。最期の瞬間になにかしら自分にだけは納得できる神の啓示をイエスは期待していたのではあるまいか。「エリ、エリ、レマ、サバクタニ」は、その問いかけではなかったのか。

もちろん、真意はわからない。

群衆は「エリ、エリ」という叫びを聞きちがえ、

「エリヤを呼んでいるんだ」

と呟き、偉大な預言者がイエスを救いに来るのを見ようと、暗黒の空を見あげたりしていたらしい。ローマ兵が葡萄酒を海綿に浸してイエスの口もとに近づけたが、イエスは振りきってもう一度声を絞って呟き、息を引き取った。

〈ルカによる福音書〉によれば、イエスの最期の叫びは「父よ、私の霊を御手《みて》に委《ゆだ》ね

ます」だったとか。この言葉もゲッセマネの祈りと呼応している。イエスは前夜、暗いオリーブの園で神に祈ったはずである。「神よ、できることなら、こんな重い使命から私を解き放ってください。しかし、私の願いなんかに耳を貸さず、御心のままに導いてください」と。くじけそうな心、それに続く神への全的な懇願。「エリ、エリ、レマ、サバクタニ」と嘆いたあとで「父よ、私の霊を御手に委ねます」と叫んだのも全的な神への懇願であったろう。ルカだけが記しているこの言葉を、私はイエスの本当の最期の言葉として聞きたい。実際にそれが呟かれたかどうか、周囲に聞こえたかどうかの問題ではなく、イエスの最期の心境はそうであったと思いたい。もう一つ、〈ヨハネによる福音書〉によれば、イエスはローマ兵のさし出す葡萄酒を口に含んだあと、

「成しとげられた」

これが最期の言葉だったと言う。

神の子としての生涯《しょうがい》を思えばこの表現も納得がいくけれど、少々リアリティを欠いている。いずれにせよ、福音書の記述者はだれもこの瞬間を見ていなかったろう。それぞれの信仰的な解釈が加わっていると考えてよい。

イエスの神々しい最期を見とどけてローマの百人隊長が、

「本当にこの人は神の子だった」

あるいは、

「本当にこの人は正しい人だった」

と、そんな意味の台詞《せりふ》を呟いたらしいが、こうした記述もローマ人への気配りだったかもしれない。

ローマの兵士たちはともかく、イエスの側の関係者でこの現場にいたのはだれだったのか。

直弟子たちの姿は鮮明ではない。みんな逃げてしまったのだろうか。マグダラのマリア、小ヤコブの母マリア、大ヤコブの母サロメなど女性軍の名がいくつか明らかにされている。同名異人が多かったから伝承のちがいもあっただろう。イエスの母であるマリアについては〈ヨハネによる福音書〉だけがマリアの存在を記しているが、これはヨハネの思い入れかもしれない。ヨハネは、このときイエスが弟子たちに母マリアの後事を託したと記しているが、それはもっとべつな機会のほうが適当だろう。イエスの母は現場にいなかった……。聖母マリアがそこにいたというのは、宗教的芸術的粉飾と見たほうがよさそうである。

マグダラのマリアなどイエスをとり囲む女性たちについては後述するが、死の瞬間に地震が起こり、神殿の垂れ幕がまっ二つに裂け、人々をおののかせたとか。奇蹟《きせき》だろうか。史料を繋《つな》ぎあわせてみれば西暦三〇年四月七日午後三時過ぎの出来事である。この夜よりイスラエルは過越祭《すぎこしのまつり》に入った。

イエスの終焉《しゅうえん》の地には現在、聖墳墓教会が建っている。イエスの墓のありかである。創設は四世紀の初頭、キリスト教を公認したコンスタンティヌス大帝の母の手によるものだが、その歴史の古さを反映して何度も破壊され、再建され、しかもローマ・カトリック、アルメニア派、コプト派、ギリシア正教など、それぞれが部分的にこの教会を管理しており、さながら迷路みたいな複雑な構造になっている。

ゴルゴタの丘、そしてそこに造られた墓と聞くと、展望のよくきいた丘の風景を思い浮かべてしまうが、実際は細い路地を抜け、古い建造物の地下にでも潜り込んで行くような感じである。少なくとも丘らしい地形を肉眼で見るのはむつかしい。

この聖墳墓教会の位置が本当にゴルゴタの丘であったかどうか、それにも疑義があり、もう一つ、十九世紀イギリスの将軍チャールズ・ゴードンが、

「こっちが本物のゴルゴタじゃないのか」

と唱えた名所もある。

城壁の北、ダマスコ門を出てさらに北へ行った〝園の墓〟近くの岩山がそれで、真

偽はともかく、こちらのほうが丘陵地を造ってそれらしい趣きがあるのは本当である。

アリマタヤのヨセフと呼ばれる男がいた。アリマタヤはテル・アビブの東にある町の古名である。議員ヨセフと呼ばれることもあったから長老の一人として議会に属していたのだろう。いずれにせよ、裕福な貴族階級で、エルサレムの有力者であったことはまちがいあるまい。

ついでにヨセフという名について整理をしておけば、

①旧約聖書の主要人物の一人。族長ヨセフと呼ばれる。アブラハムの曾孫《そうそん》であり、エジプトで勢力を伸ばし、やがてこれがモーセの出エジプトへと繋がる。

②イエスの養い父。聖母マリアの夫。

③イエスの弟。イエスの死後入信し、布教に加わった。

④アリマタヤのヨセフ。イエスを葬《ほうむ》った男。

以上四人を区別しておけば混乱は少ないだろう。

そのアリマタヤのヨセフだが、ユダヤ教徒であったろうが、同時にイエスのよき理解者であった。イエスが十字架で息を引き取ったのちローマ総督ピラトのもとへ行き、

「どうぞイエスの屍《しかばね》をお渡しください」

と願い出る。

まかりまちがえば彼自身が糾弾されかねない危険な申し出だった。それができたこと自体、彼がエルサレムの有力者であったという、なによりの証拠だろう。イエスの弟子たちは、なに一つできなかったのだから……。ヨセフはピラトに代償としての金品をさし出したかもしれない。

「よかろう」

ピラトは許可を与えた。

ヨセフは、イエスの遺体を十字架からおろし、きれいな亜麻布で包み、新しい墓に入れ、その墓の入口に大きな石を置いて塞《ふさ》いだ。死体には香油を塗るのが当時の習慣だったが、このときは安息日の第一夜が近づいていて、充分な手当てをする時間がなかったろう。安息日に仕事をするのは禁じられていた。のちに安息日が明けるのを待って、女たちがイエスの墓へ行くのは、この香油を注ぐためだったろう。

が、そのことは次回に譲るとして、これだけ重要な、そして温かい役割を果たしたにもかかわらず、アリマタヤのヨセフについてはこの記述以外、新約聖書はほとんどなにも記していない。

――なぜかな――

おそらくアリマタヤのヨセフは、イエスの弟子たちと宗教的な立場や社会的な立場が異なっていたからだろう。イエスの死後、ペテロを中心にイエスの弟子たちが集まり、キリスト教会が誕生し、パウロが加わって宣教活動が広がっていく。こうした動きの中にあっては派閥の抗争も充分にありえただろうし、一つの流れを守るために、もう一つの流れを抹殺《まっさつ》したり無視したりすることもおおいに必要だったろう。

アリマタヤのヨセフは、少なくともマタイ、マルコ、ルカ、ヨハネなど福音書の書き手となる人たちが属する流派——それはとりもなおさずパウロの精力的な活動とあいまってキリスト教をキリスト教たらしめていく太い流れであったが、それとはなじめない立場の人だったにちがいない。逆に言えば、アリマタヤのヨセフを過度に評価することは、主流派にとってあまり好ましいことではなかった。こうしてアリマタヤのヨセフの献身的な役割は、その役割だけの記録を残して、あとは消えてしまった。友人イエスの屍を抱いたヨセフの胸中には、憤《いきどお》りといとおしさと、けっして看過できないものが通っていたにちがいない。この人の抹殺は残念である。

もう一人の男についても触れておこう。イスカリオテのユダである。マタイだけがその末路を記している。

〝そのころ、イエスを裏切ったユダは、イエスに有罪の判決が下ったのを知って後悔し、銀貨三十枚を祭司長や長老たちに返そうとして、「わたしは罪のない人の血を売り渡し、罪を犯しました」と言った。しかし彼らは、「我々の知ったことではない。お前の問題だ」と言った。そこで、ユダは銀貨を神殿に投げ込んで立ち去り、首をつって死んだ。祭司長たちは銀貨を拾い上げて、「これは血の代金だから、神殿の収入にするわけにはいかない」と言い、相談のうえ、その金で「陶器職人の畑」を買い、外国人の墓地にすることにした。このため、この畑は今日まで「血の畑」と言われている。こうして、預言者エレミヤを通して言われていたことが実現した。「彼らは銀貨三十枚を取った。それは、値踏みされた者、すなわち、イスラエルの子らが値踏みした者の価《あたい》である。主がわたしにお命じになったように、彼らはこの金で陶器職人の畑を買い取った。」〃(第二十七章)

ユダはどこでイエスの裁判を聞いていたのだろうか。

イエスの十字架刑を知って、

——なんということだ——

そのときになって裏切りに対する後悔が、どうしようもない重荷となってユダをさいなむ。ユダは走った。そして、せめて裏切りの代償として受け取った銀貨を祭司長たちへ返そうとした。祭司長たちの態度は冷たい。裏切り者は、彼を雇った人たちにとってもいまわしい存在である。もうユダには絶望しかなかった。首を縊《くく》るよりほかに道が残されていなかった。

イエスの死より少し前、城壁外の南の谷、白楊《はくよう》の木の枝……。ユダの死体は無惨《むざん》にはらわたをさらけ出し、血をしたたり落としていたという。

いま引用した部分の最後の数行は、一連のユダの行動が、エレミヤ書に記された預言の実現であるかのように読めるが、それほどみごとな預言がそこに記されているわけではない。注釈書などが指摘するページを捜してみても、わずかに陶器職人という単語と、畑を購《あがな》う話とがべつべつに発見できる程度のものである。エレミヤ書ではなく、ゼカリヤ書のまちがいだという説もあるが、こちらは神の恵みがたったの銀貨三十枚であがなわれたという話で、ユダの裏切りとその後の処置を預言するものと考えるのは少々無理があろう。聖書にはしばしば預言の実現という文句が登場するが、多くの場合、

――こんなことで預言になるのかなあ――

と首を傾《かし》げたくなる。過度に信じてはなるまい。それよりも、

――ユダはなぜ死んだのか――

このほうが気がかりだ。ただ単に自責の念からだけだったろうか。

イエスとユダのあいだに宗教的な世界観のちがいがあり、それがユダの離反の原因であったとすれば、ユダの死の理由ももう少し複雑なものとなる。そしてさらに、――ユダの死はもう少しあとだったのではあるまいか――と、私はぼんやりと思うことがある。イエス亡《な》きあとの後継者問題などがからんで……。ユダは銀貨三十枚の代償などとはちがった、もっと重要な役割を演じていたのかもしれない。

たとえば、アリマタヤのヨセフとユダのあいだに一本の線が繫がっていて……と、これはもう推理小説の世界である。深くは入り込むまい。

だが……イエスの復活というテーマは、神の子としてのイエスを信じない限り、明らかに推理小説に属するもののようだ。

信仰心のあつい K さんが笑いながら私に言った。

「あなた、信じていないんでしょ?」

「なにを?」

「うん? たとえばイエスが神の子だとか」

「まあ、信じていないな。だって、どうしてあのときだけ神の子が地上に現われたか

「……」

「それね。合理的な説明が一つあるんですよ」

「へえー。なに？」

「千年ですよ、ざっと。イスラエルの民は千年の長きにわたって、ずっとメシアの来臨を願い続けていたわけでしょ。それも並たいていの熱意じゃない。千年間、祈りに祈り続けていたわけでしょう。ほかにこんな例はないんじゃないのかな」

「ええ？」

「だから神の子が来臨するとすれば、ああいうところしかないんじゃないのかな」

たしかに千年間祈り続ければ普通じゃないことが起きるかもしれない。神の恩寵《おんちょう》があるとすれば、神もまずそういう場所を選ぶだろう。それがKさんのロジックだった。

7 ピエタと女たち

十六世紀イタリアの芸術家ミケランジェロは、四つの〈ピエタ〉を彫刻に残しているが、その中で一番著名なものと言えば、バチカンのサン・ピエトロ大聖堂に置かれている白い〈ピエタ〉であろう。

ピエタはイタリア語で〝敬虔《けいけん》な心、慈悲〟を表わす。日常会話でも使われているが、美術用語としては、聖母マリアがイエスの亡骸《なきがら》を抱いて悲しむ構図を意味している。サン・ピエトロ大聖堂の〈ピエタ〉はミケランジェロの二十代前半の作で、彼の出世作となったものである。そのみごとさは、真実、ただごとではない。

等身大より少し大きいマリアが裸のイエスを膝《ひざ》に抱いて見つめている。力なく崩れたイエスの姿は痛ましいが、それを見つめるマリアの表情が……まことに悩ましい。悲しみをたたえながらも、息を飲むほどに美しい。神々《こうごう》しい。マリアの脳裏に去来したものはなんだったのか。見る者のイマジネーションをかきたてずにはおかない。彫刻美術の最高傑作と言っても、なんの異論もあるまい。

——若すぎるんじゃない、このマリア様って——

その声は作品が発表されたときからあったらしい。

イエスが十字架に懸かったとき、マリアは五十歳くらいだったろう。〈ピエタ〉の面《おも》ざしは二十代を感じさせるのだから……。

だが、そういう理屈を言うならば、もっと大きな疑問がある。

——マリア様はわが子の屍《しかばね》を抱く機会があっただろうか——

可能性は極度に小さい。

四つの福音書の中では、史実を伝えるドキュメントとしてもっとも根拠のとぼしい〈ヨハネによる福音書〉だけが、イエスの母マリアが十字架の近くにいたと記している。その信憑性《しんぴょうせい》はけっして高くない。亡骸を受け取って墓に入れたのはアリマタヤのヨセフであり、このプロセスで母と子の対面があったのなら、なにかしら劇的なエピソードが残されているだろう。

イエスの死に先立って、イエスがピラトの館《やかた》からゴルゴタの丘に向かう途中、つまり今日で言うビア・ドロローサで〝イエスが母を見た〟という伝承も、いま述べた〈ヨハネによる福音書〉の記述から考えて、

——十字架の近くにいたのなら、それを運ぶときにも見たんじゃないの——

という推測であり、福音書全体から受ける印象を言えば、母マリアの影は極端に薄い。

私は、母マリアはそこにいなかった、と、この説を採りたい。

しかし……イエスの亡骸を親しく胸に抱くチャンスはなかったけれど、もし抱くことができたならば、さぞかしマリアは深く悲しみ、そして暖かく抱きかかえただろう、と、この想像は現実にも負けないほどに切実なリアリティを含んでいる。芸術は現実そのものである必要はない。ミケランジェロの〈ピエタ〉はまさしく現実を越えて母マリアの深い悲しみを刻んだものであり、そうであればこそ、そこに刻まれたマリアその人も、瑣末《さまつ》な実年齢に支配される必要があるまい。母マリアの美しさも若さも、ミケランジェロの思想であり、主張であったろう。芸術家自身も幼くして母を失っている。彼自身の慕情がそこに見えると言ったら短絡にすぎるだろうか。

正直なところ、福音書はイエスの母について、それほど多くの記述を残していない。マリアの登場した場面でも、イエスの応対はどことなくよそよそしい。カナの婚礼についでは、このエッセイの第三話ですでに触れたが、もう一つ気がかりなエピソードを引用しておこう。

〃イエスがなお群衆に話しておられるとき、その母と兄弟たちが、話したいことがあって外に立っていた。そこで、ある人がイエスに、「御覧なさい。母上と御兄弟たちが、お話ししたいと外に立っておられます」と言った。しかし、イエスはその人にお答えになった。「わたしの母とはだれか。わたしの兄弟とはだれか。」そして、弟子たちの方を指して言われた。「見なさい。ここにわたしの母、わたしの兄弟がいる。だれでも、わたしの天の父の御心を行う人が、わたしの兄弟、姉妹、また母である。」〃（〈マタイによる福音書〉第十二章）

いかがだろうか。

革命家が血族への思いを断ち切って自分の信条を守らなければいけないのと同様に、イエスも神との関係を第一義に考えていた、と、その気持ちはわからないでもないけれど、今の引用を読むとイエスがなぜか必死になって肉親を拒否しているような、そんな気配が感じられてならない。

イエスは愛情の薄い人ではなかったろう。肉親に対して、とりわけ母親に対して、すがりつき、抱きしめたいほどの親しみを持っていたのではなかろうか。そうであるにもかかわらず頑《かたく》なに肉親を拒否するのが彼の立場だった。母マリアはどこまでその心理を知っていただろうか。

それはともかく、ここではまず先にイエスの復活について筆を尽そう。

西暦三〇年四月七日午後三時過ぎイエスは十字架の上で息を引きとった。遺体を受け取って墓に納めたのはアリマタヤのヨセフだった。すでに安息日の夜が近づいていて、屍に香油を塗るなど充分な手当てができなかった。イエスと親しかった女たちにはそれが気がかりだった。

安息日が明けると、朝早く女たちはイエスの墓へ向かう。女たちと書いたが、その人数も名前もかならずしも明確ではない。マグダラのマリアと呼ばれる女がいたことだけはまちがいあるまい。あとは、小ヤコブの母であるマリア、大ヤコブの母であるサロメなどなどが一緒だったかもしれない。

墓穴の入口は大きな石で塞《ふさ》がれていたはずなのにゴロリと脇《わき》に転がされ、黒い口がポッカリと開いていた。

——どうしたのかしら——

中を覗《のぞ》くと白い衣を着た若者がすわっている。

「あら」

と驚く女たちに、若者は、

「驚くことはない。あの人はここにいない。かねて言われた通り、復活されたのだ。復活してガリラヤに行かれる。さあ、帰って弟子たちに、そのことを伝えなさい」

と告げた。

墓のそばにいた若者は二人だったという記述もあるのだが、転がした石の大きさなどから考えて、そちらのほうが妥当かもしれない。二人いて、女に話しかけたのは、その中の一人だったのかもしれない。伝承には、こうした欠落はよく起こることだが、その二人が天使であったという記述は……まあ、マタイとヨハネがそう記している、とだけ告げておこう。

マグダラのマリアは、思いもかけない出来事にすっかり動転したが、

——とにかくみんなに知らせなくちゃあ——

と、イエスの弟子たちのいるところへ走っていった。

その途中でマグダラのマリアは、復活したイエスその人に会っている……。

マタイによれば、イエスは「おはよう」と声をかけ、マグダラのマリアたちはその足を抱き、ひれ伏している。マルコは、ただマグダラのマリアがイエスを〝見た〟という一行だけを記し、ヨハネによれば、

「婦人よ、なぜ泣いているのか。だれを捜しているのか」

と、遺体のない墓の近くで男に尋ねられ、マグダラのマリアが、

「あなたがあの方を運び去ったのでしたら、どこに置いたのか教えてください。私があの方を引き取ります」

と答える。すると男は、親しみの籠《こも》った声で、

「マリア」

と呼ぶ。それがイエスだった……と、そのときの情況をかなり克明に記している。

どれが本当だったのか。

いずれにせよ、マグダラのマリアから弟子たちに伝えられた情報は、〃イエスは復活した。ガリラヤへ行くから、みんなもすぐに出発するように〃という内容だった。

弟子たちはすぐに出発した。それより先にペテロともう一人の弟子が、果たして本当に墓が空になっているかどうか、マグダラのマリアの言葉を確かめるため、墓地へ走った……かもしれない。こんな騒ぎが、イエスを十字架に懸けた祭司長や長老にも伝わり、

「困ったな。死体がないとなると……弟子たちが復活だのなんだのと言いだすぞ」

「弟子たちが来て盗んだんじゃないのか」

「うん。それにちがいない。そういうことにしよう」

と善後策を決定した。

一方、復活したイエスはいろいろなところに現われた。

エルサレムから西へ十キロほど行ったところにエマオという村があった。その近くの街道でイエスの弟子二人が（直弟子ではないだろう）、

「聞いたかよ」

「ああ、聞いた、聞いた。墓が空になってて……イエス様が復活されたんだとさ」

と、都で聞いた噂《うわさ》を話しながら歩いていた。

「それは、どんな話かね」

知らない男が二人に追いついて問いかける。

「知らんのですか。偉いメシア様ですよ。十字架に懸かって死んだはずなのに、三日後に預言通りに復活して姿をお現わしになったんです。本当ですかなあ」

弟子たちは詳しい事情を語りながらも半信半疑の様子である。知らない男は二人をたしなめるように、

「あなたがたはどうしてそうものわかりがわるいんですか。まったく、何度聞かされても預言者の言うことを信じないんだから。メシアがそういう苦しみを受けたのち栄光の座につくと、これは昔から言われていたことでしょ。モーセはなんと言ってますか」

と雄弁に語りだす。聞いていると男の学識は生半可のものではない。

——こいつ、何者だ——

と二人は訝《いぶか》ったにちがいない。

「どうです、一緒にお泊まりになりませんか、もう日も暮れますし」

「では、そうしましょうか」

宿に入り、食卓につくと、知らない男はパンをとり、讃美《さんび》の祈りを唱えたあとで、それを切り裂いて二人に渡す。

——もしかしたら……イエス様じゃないのか、この人——

と思ったとたん、その男は消えた。

あとでその二人が述懐するには、

「いや、ホント、ホント。ただものじゃないとは思ってたんだ」

「話を聞いてると、感動して心が熱くなってきたもんなあ」

二人は復活したイエスに会った証人として長く語り伝えられることとなった。

どことなく頼りないこの二人は、イエスの顔をあまりよく知らず、あとでそれと気づいたらしいが、こんなケースでは思いちがいということもおおいにありうるだろう。

さらにイエスは直弟子たちが集まっているところへも姿を現わし、おそれおののく弟子たちに告げている。

「あなたたちに平和があるように。父が私をあなたたちに遣わしたように、私はあなたたちを遣わそう。聖霊を受けなさい。行って、罪ある人を救いなさい。あなたがたが赦《ゆる》せばその罪は赦される。あなたがたが赦さなければ、その罪はいつまでも残る」

と、弟子たちに守るべき使命を伝えた。

その場にいなかったトマスは、この話をあとで聞き、

「そんなこと、信じられない。この眼《め》でしっかり証拠を見なきゃ」

と抗《あらが》ったが、それから八日後トマスの前にもイエスが現われて、

「さあ、トマス。あなたの指をここに当ててよく見なさい。私の脇腹にも手を伸ばしてみなさい。信じない者ではなく、信じる者になりなさい」

と、前に立った。

トマスが調べてみると、イエスの手には十字架の釘《くぎ》の跡が、脇腹にはローマ兵の槍《やり》で刺された跡がくっきりと残っていた。

イエスはさらにつけ加えて、

「トマスよ。私を見たから信じたのか。見ないのに信じる人は、幸いである」

と言う。トマスはさぞかしおそれいったことだろう。

ほかにもいくつか復活を見た人のエピソードが残されているが、省略しよう。

復活の証人ということなら、マグダラのマリアの役割は重大である。

マグダラはガリラヤ湖畔の町で、彼女はこの町の出身者だったろう。かつては娼婦《しょうふ》

であったが、信仰心が厚く〝イエスの足を泣きながら洗い、自分の髪で拭《ぬぐ》い、そのけなげな心がけがイエスに認められて罪が赦された〟と福音書に記されている女が、彼女のことらしい。もちろん、それはまたべつな女だという説もある。いずれにせよ、イエスの公生活の後半に、マグダラのマリアはイエスのそば近くにいて、親しく接していた。イエスの恋人、という説もある。安息日が明けるのを待ってイエスの墓に走り、遺体のないのを知って、泣きながらうろたえている様子には、わけもなくそんな女のリアリティが感じられる。イエスのほうは「婦人よ、なぜ泣いているのか」なんて言っちゃって……。ちょっと意地がわるい。ジョークかな。声の主がイエスだとわかったときの彼女の驚きと喜び。とびついてすがりつこうとしたが、イエスは、

「私にすがりつくのはよしなさい。まだ父のもとへものぼっていないのだから」

と制する。

復活はまず天上の神に報告すべき重要事項であり、それをしないうちに女と愁嘆場などを演じていてはいけなかったらしい。

イエスの女性関係と言えば、もう一人、気がかりな存在としてベタニヤのマリアがいる。マリアばかりで申し訳ない。よほどこの名が多かったのか、それともイエスには因縁《いんねん》が深かったのか。ベタニヤはエルサレムから三キロほど離れた郊外の村で、イ

エスは都への往復の途中でしばしばここに立ち寄っていた。このマリアには姉のマルタと弟のラザロがいた。

弟ラザロは、病死して墓に葬《ほうむ》られ、すでに四日たっているのに、

「ラザロよ、出て来なさい」

イエスに呼ばれてノコノコ生き返ってきた、あのラザロである。体を布で巻かれたまま……つまり死者の装束のまま現われたのだから、さぞかしドラマチックだったろう。イエス自身の復活の予告だったとも言う。イエスの演じた奇蹟《きせき》の最たるものであり、いくつかの名画の題材にもなっている。

このときもイエスはマルタとマリアの懇願を受けて、わざわざベタニヤを訪ねて奇蹟を演じたはずである。

さらに、これより先、イエスが姉妹の家を訪ねたときのことだが……姉のマルタは台所に入って歓待の準備に余念がない。妹のマリアはイエスのそばにすわって、イエスの話に聞き入っている。姉としては、

「ねえ、マリア。ちょっと手伝ってよ。話ばかり聞いてないで」

と、苦情を言いたくなる。

マルタはイエスに向かって、

「妹にも手伝うよう言ってくださいな」

と告げたが、イエスは答えた。

「マルタよ。あなたは多くのことに思い悩み、心を乱している。しかし、必要なことはただ一つだけである。マリアはよい方を選んだ。それを取りあげてはならない」

なんて……依怙《えこ》贔屓《ひいき》ではあるまいか。

台所の仕事より、イエスの言葉を聞くほうが大切だ、と、それはそうかもしれないが、姉妹二人でイエスの話ばかりを聞いていたらだれが歓迎のテーブルを用意してくれるのか。福音書に見る限りイエスはわりと飲み食いの好きな人だった。マルタだってイエスのそばにいたかったろう。

そして、さらにラザロの復活のすぐあとのことだが、ここでもイエスはマリアをかばっている。食事をしているイエスの足もとにマリアが近づき、とてつもなく高価な香油をコップ一ぱいほど持って来て、それをイエスの足に塗り、自分の髪で拭った。部屋中が芳香でいっぱいになる。歓迎の意を表わす習慣ではあったが、こんなにたくさん高価な香油を使わなくてもよいだろう。のちにイエスを裏切るイスカリオテのユダが、

「どうしてあなたは無駄《むだ》使《づか》いをするんだ。ゆとりがあるのなら貧しい人にほどこして

やればいいのに」

とマリアをたしなめたが、イエスは、

「この人のするままにさせておきなさい。私の葬りの日のために香油をとっておいたのだから。貧しい人はいつもあなたたちと一緒にいるが、私はいつも一緒というわけにはいかない」

と反論する。

イエスはエルサレムで十字架に懸かる運命を覚悟していたから、この日の食卓はマリアとの最後のひとときとなる。マリアはそれを知っていたのだろうか。そんなイエスの本心を知っていたとすれば、このマリアはただのガール・フレンドではあるまい。恋人かどうかはともかく、イエスの心をよく理解していた、と、そう断定してもよいだろう。このマリアがイエスの受難のとき、どこにいたのか、福音書に見る限りよくわからない。ベタニヤはエルサレムに近いのだから、噂を聞けばきっとゴルゴタまで走ったのではあるまいか。

イエスの復活は本当にあったのだろうか。

「何時間も十字架にぶらさげられていたんだろ。死刑なんだから。半端《はんぱ》な苦痛じゃないぜ。そのうえ槍で刺されて……。死んだものが生き返るわけないよな」

と、まことに、まことに、ごもっともな意見である。

「でも、神の子なんだから」

と、それを信ずるかたには、以下の数ページは必要がない。神の子が来臨しなかったという証拠はどこにもないのだから。信じるものは救われる、という言葉にも一定の真理が含まれている。

だが、神の子が来臨したという証拠も同様にないのである。私は推理小説の書き手でもある。福音書の記述を拠《よ》りどころにして、なにほどかの推理をめぐらしてみよう。まずはじめに、復活はイエスとその信奉者にとって、このうえなく大切なことであった、と、この認識をしっかりと持っていただきたい。それは、まさしく信教の存亡にかかわる重大事であった。

福音書を見る限り、イエスの説く教義は、けっして充実したものではなかった。自分が主張する宗教がいかなるものか、イエスはかならずしも充分に述べてはいない。煎《せん》じ詰めればイエスの教えは、人間を愛する神が実在しており、自分はその神の子であり、だからひたすらその神にすがって祈りなさい、ということである。普遍的な倫理として広く役立ちそうな教えとなると……極論するならば「人にしてもらいたいと思うことはなんでも、あなたがたも人にしなさい」くらいのものである。多くは断片的な発言であり、不充分なたとえ話などである。

イエスが美しく咲いた野の花を指さして、

「栄華を極めたソロモンでさえ、この花一つほどに着飾ってはいなかった。今日は生きていて、明日は炉に投げ込まれる野の草でさえ、神はこのように装ってくださる。まして、あなたがたにはなおさらのことではないか」

と格調の高い言葉で告げたとき、この言葉の背後には明らかに〝人間を愛している神が実在している〟という判断がある。それがなければこの言葉は、なんの意味もなさない。神は野の草より人間のほうをずっと愛しているのだから、当然のこと野の花以上に、ソロモンの栄華など及びもつかないほどたくさん人間によい恵みを垂れてくださるはずである、というロジックなのだから……。

私は、イエスとはすばらしい金の鉱脈を内蔵した鉱山だったと考えている。ちょっと見たくらいではその山の価値はわからない。しかし、求める心で眺《なが》めてみると、

――もしかしたらすごい金山かもしれない――

と、人柄《ひとがら》に、言葉に、風貌《ふうぼう》に、なにかしら片鱗《へんりん》のようなものは感じられただろう。すばらしい金山であることを人に納得させるためには、地質調査や試錐《しすい》などのデー

タを提示すれば、それでよい。宗教にとっては教義がこれに当たる。どういう世界観を持つ宗教なのか、志向する倫理はなんなのか、それを知らせることによって人を説得するわけである。宗教ではないけれど、マルクスもフロイトもケインズも、近代の思想家はみんな学説という形でこれを提示している。

しかし、イエスはこうしたデータの提出をあまり重視しなかった。謦咳《けいがい》に接していればわかったのかもしれないが、福音書だけでは見えにくい。

イエスの採った方法は、

「とにかくすごい金山なんだから、それを信じて一生懸命掘りなさい」

だった。掘らないのは阿呆《あほう》である、と、力点はむしろ、そちらのほうに注がれていた。ユダヤ教が広く浸透していた情況では、そして大衆を相手とする場合にはこの方法が適していたのだろう。イエス自身には自分がりっぱな金山であるという自信はあっただろう。その通り。それがりっぱな金山であったことはキリスト教の二千年の歴史が証明している。これだけの長い期間にわたって世界中の人々の心を引きつけ、救済し、さらに未来へと展望を持っていること自体、それがみごとな金山であったことのなによりの証拠であろう。すぐれた金山であることを訴えるデータは、つまり教義は、イエスのあとに現われた多くの神学者が提示することとなった。イエスにはそれだけの時間がなかったし、そういう方法は彼の資質にむかなかったのかもしれない。むしろ、データよりも信頼、それほど彼の確信は強いものであった。

このロジックにとっては神の存在が絶対に必要なことであり、それがなければすべてが根底から崩れてしまう。

神が実在し、自分が神の子であることを証明する方法として、(それだけが目的ではなかったろうが)病人を癒《いや》したり、超自然的な技を演じて見せたりしたが、それだけではまだ迫力が足りない。伝聞であったり偶然と思われたりして、説得力を欠く。そんなイエスが、ある日、忽然《こつぜん》と得た啓示が〝十字架に懸かり、三日後に復活する〟であった。預言書にもそんなことが記してある。それを実現することが神の子の証明であり、それによっていっさいのロジックが生きて意味を持つ。先に私が〝復活はイエスとその信奉者にとって、このうえなく大切なことであった。信教の存亡にかかわる重大事であった〟と書いたのは、このことである。イエスは絶対に復活しなければいけなかったのである。

そして、この世の中では〝絶対にそうあらねばならない〟ことは、そうなるのである。そういうケースが多いのである。奇妙な理屈だと思われるだろうが、もう少し読み進んでいただきたい。

イエスは自分が神の子であると確信し、多少の煩悶《はんもん》はあったにせよ、三日後の復活を確信して十字架に懸かっただろう。

話は一気に飛んでしまうが、墓の中にイエスの遺体がなかったのは、だれかが運んでほかへ移したからだろう。そのだれかは……アリマタヤのヨセフ。彼自身が手をくだしたかどうかはともかく、彼の命令によってそれが実行された公算がすこぶる高い。その墓に屍《しかばね》を入れた人がそれを動かすのが一番自然である。楽である。なんの面倒もない。自分の庭に植えた庭木をその庭の持ち主が動かすのはたやすいが、ほかの人が動かすとなると、これは簡単ではない。犯罪的な行為になるだろう。白い衣を着た若者と、もう一人いたらしい若者が運搬の実行者だったのかもしれない。彼等は多分マグダラのマリアたちが遺体に香油を塗りに来ることも予測していただろう。

「イエスは復活してガリラヤへ行かれた」

と、これも予定の言葉だったろう。

なんのために?

もちろん復活を実現するためである。死体があっては、復活もへちまもない。

イエスを中心とする宗教的集団の構成メンバーは十二人の直弟子たちばかりではなかったろう。もっと多くの人がいろいろな形でかかわっていたと考えるほうが自然である。シンパもいただろう。

それらのメンバーにとってリーダーであるイエスはきわめて重要な人物であり、簡単に十字架になんか懸かってもらっては困るのである。イエスは三十代の働き盛りではないか。やってもらわなければならないことがたくさんあった。

ところが、イエス自身は自分が神の子であり、十字架に懸かって復活するのが使命である、と、その考えにどんどん取り憑《つ》かれていく。そういう啓示を得て、その目的に向かって思想を組み立てていく。性格的に破滅型のところがなくもなかった。周囲がどう説得しても、イエスは自分の中で培《つちか》った信条を変えようとしない。イエスにとっては妥協を許さない、絶対の方針であった。

――そうか、それがイエスの考えなのか――

だったらそれをまっとうしてもらおう。

――あれだけ言うのだから、本当に神の子かもしれない――

と、二千年昔のイスラエルでは、そんな考えもおおいにありえただろう。

一つの信条を抱く集団にとってはリーダーも大切だが、信条の存続のほうがもっと大切である。イエスが神の使命をまっとうするために十字架へ向けて歩み出したとき、おそろしいほど鋭利な判断力を持ったリアリストがイエスの復活を画策する。まず遺体を隠さなければならない。復活はガリラヤで。エルサレムを遠く離れていたほうがよい。イエスを敬愛していたマグダラのマリアに暗示を与えることなど、そうむつかしくはあるまい。マグダラのマリア自身も計画のメンバーだったかもしれない。復活したイエスが現われたのは、弟子たちの前ばかりである。口裏をあわせることはやさしい。エマオの近くでイエスに会った二人など、いかにも暗示にかかったような報告ではないか。

——でも……そんなこと、本当にやるかしら——

それがポイントだ。

先にも言ったようにイエスは絶対に復活しなければいけなかったのである。絶対にそうあらねばならないことは、そうなる、と書いたのは、まさにこのことであり、それが絶対であればあるほど関係者はどういう手段を講じてでも、それをそうあらしめなければいけない。なぜなら、それは絶対なのだから……。

イエスと異なった主張を持っていたらしいイスカリオテのユダがアリマタヤのヨセフと手を結んでいたなら相当にドラスティックな行動がとれたかもしれない。しかし、そのユダも死ぬ。アリマタヤのヨセフも……情報の乏しい人なのだが、このあと間もなく死んだという史料がある。後継者と今後の路線をめぐって争いがあったのかもしれない。あるいは有力メンバーがたまたま死んでしまい、計画が挫折《ざせつ》したのかもしれない。大部分の直弟子たちは故郷のガリラヤへ逃げ帰ってしまった。その中心にいたペテロが、ふたたび使命を感じて布教を始めたのは、なぜだったのか。イエスがペテロの前に現われてそう命じたから、と聖書は記しているが、

──こうしちゃ、いられない──

とペテロに思わせた現実的な理由がほかにあったのではなかろうか。

以上が信仰を持たない私の推測である。多分当たっていないだろう。あははは、私はなにが言いたいのか。

ディテールはともかく、ポイントは一つである。イエスの復活は、その信奉者たちにとって絶対に必要なことであった。まだ脆弱《ぜいじゃく》であった集団の基盤を確かなものとするために欠くことができないことであった。だからイエスは復活したのである。ちがうだろうか。

サン・ピエトロ大聖堂ではじめてミケランジェロ作の〈ピエタ〉を見たとき、私は名状しがたい不思議な感動を覚えた。いくらみごとな芸術作品でも……滅多にあることではない。

――いとおしい――

そんな感情に近い。わけもなく涙がにじみそうになった。

この〈ピエタ〉の主人公は聖母マリアである。彫像のまんまん中に、しかも前面いっぱいにイエスが横たわっているけれど、私の感動の原因となったものは、イエスその人ではなく、背後でそのイエスを包むように抱いているマリアが、表情と全身で作りだしている悲しみであった。

――ようやくわが子が帰ってきた――

でも屍となって……。どんな母でもつらい。

私の心に込みあげてきたものは、神に属するものではなく、人間的な、あまりに人間的な想像だった。妄想《もうそう》と言われても、さほど苦情はない。

昔、ナザレという町に一人の娘がいた。マリアという名だった。マリアはヨセフと婚約していたが、よんどころない事情により、ほかの男と交わって身籠《みごも》った。激しい恋だったかもしれない。ヨセフとの婚約がどういうものであったか、それがわからない以上、一概に不倫とは言いきれない事情もありうるだろう。

ヨセフがそれを知って、いったんは婚約を解消しようとしたのは福音書にある通りである。だが、事情を確かめるうちに、マリアの人柄のよさ、誠実さ、愛情の深さに彼は気がついた。このままではマリアは自害するかもしれない。

――この娘はわるい人ではない――

ヨセフの愛情が深まった。懐妊の事情についても、ヨセフには納得のいくものがあった。生まれて来る子どもに罪はないではないか。人はだれしも幸福に生きなければいけない。ヨセフとマリアの心に、人の世の倫理を越えたものが……そう、〝神〟が宿ったのである。ヨセフは生まれて来る子どもの父となることを決意し、二人は結ばれる。子どもはイエスと名づけられた。賢い子であった。夫婦の仲は睦《むつま》じく、イエスの弟妹が生まれた。ヨセフはわけへだてなくイエスを育《はぐく》んだ。

だが、少年期に入ってイエスは自分の出生の秘密を知る。

――この家に長く留《とど》まっていてはいけない――

賢い子であればこそそう思った。すでにしてなにかしら宿命のようなものを感じていたのかもしれない。いくばくかの野心もあっただろう。

イエスは家を出た。これは史実である。

それからどこでどう身を養い、修錬を積んだか？　イエスの生涯《しょうがい》の中で、なんの説明もない十数年がそこにあるのだが、私の想像では、おそらくこの時期を過ごしたのはユダヤ教の密教的な集団の中ではなかったろうか。ユダヤ教についてのイエスの知識は半端なものではなかった。それなりの環境に身を置いて学んだものだったろう。密教的な集団はクムラン宗団の例を引くまでもなく、いくつか存在していたはずだし、のちにイエスの名が広く知れ渡るようになってからも、イエスの青年時代の消息がどこからも出て来なかったのは、それが厭世的《えんせいてき》な、世俗を離れた集団だったからではあるまいか。

成長したイエスはヨルダン川のほとりに現われてヨハネから洗礼を受ける。そして、いわゆるイエスの公的な生活が始まる。

養い親のヨセフは比較的早い時期に世を去ったらしい。しかし母マリアのところには、イエスの噂《うわさ》が少しずつ届く。

——あの子、生きてたのね。りっぱになって——

母にしてみれば、とても、気がかりな子であった。りっぱに育ってくれたのはうれしいが、どこか無理をして生きているような気がしてならない。いたたまれずイエスのいるところを訪ねてみれば、イエスの対応は冷たい。

——怒っているのかしら——

母を断罪しているのだろうか。いや、そうではあるまい。心のやさしい子だった。なんでもよくわかる子だった。

——必死になって頑張《がんば》っている——

肉親を拒否し、もっと大きなものへと自分を向けている。

——どうしてそんなに無理をするの——

母は痛ましいほどあれこれとイエスの心を思いめぐらしただろう。イエスの崇高な決断も、母には、自分の生そのものに対する反逆のように思えてならなかった。

——普通に生まれた子だったら、あんなことはしなかったろうに——

どうしても母は自分を責めてしまう。負い目を感じてしまう。

そして終焉《しゅうえん》。イエスは頑《かたく》なに反逆を続けて十字架の上で三十余歳の生涯を閉じた。

母の眼《め》にこれほど痛ましい死はなかっただろう。

——もっと穏かな一生があったでしょうに——

それを拒んだのも、

——私のせい——

母の思いは結局そこへ行ってしまう。

母マリアがその腕にイエスの遺体を抱くチャンスはなかっただろう。もろもろの〈ピエタ〉は、その意味で実相ではないけれど、もし抱けたならば、マリアの胸中には、深い悲しみと深いいとおしさが文字通りとめどなく溢《あふ》れたことだろう。なかったことではあるけれど、ありうべき現実を描写することも芸術の役割である。ミケランジェロの〈ピエタ〉はみごとに、そんな役割を果たしているように私には見えたのである。

造形芸術は散文のように意味を限定しない。ミケランジェロの〈ピエタ〉は、なんであれ明解には語ってはくれない。意味の取りようはいろいろあるだろう。敬虔《けいけん》なキリスト教徒であったミケランジェロは、神の子と神の祝福を受けた母とを描いたのであり、私の人間的な解釈はまことに、まことに見当はずれかもしれない。ミケランジェロの心に留まる限り二十世紀的な視点は妄想と言われても仕方があるまい。

しかし、芸術作品は作者の心を越えて飛翔《ひしょう》する。私の妄想も一つの把《とら》え方ではあるだろう。マリアはイエスが自分の手の中にあった頃《ころ》の……つまり家族が睦じく暮らしていた頃の安らぎを思い起こしていたのであり、そうであればこそマリアの表情も、その頃の若さを取り戻している……。神の子であろうとしたイエスの苦悩と、母であるマリアの人間的な苦悩と、それが凝縮されている、と、私には大理石の白い彫像がそんなふうに映った。バチカンのどの美術品よりも……同じミケランジェロの手による〈天地創造〉よりも〈最後の審判〉よりもこの彫像が私には崇高なものに見えたのであった。

マリアという名についても一覧表を略記しておこう。

①は聖母マリア。イエスの母であり、カトリック教では信仰の対象としてとりわけ大きな位置を占めている。

②はマグダラのマリア。イエスの死の前後、その周辺にいて、重要な目撃をしている。十字架の死を見取り、空になっているイエスの墓を覗《のぞ》き、復活したイエスにも会っている。以前は娼婦《しょうふ》であり、イエスによって七つの悪霊を取り払われた。イエスの恋人という表現は適当ではあるまいが、ちかしい存在ではあっただろう。

③はベタニヤのマリア。この女性もちかしい存在であった。エルサレム郊外のベタニヤに住み、イエスを手あつく歓待したエピソードが残っている。墓の中から復活したラザロの姉であり、さらにその上にマルタという名の姉がいる。

④はヤコブとヨセ（あるいはヨセフ）の母マリア。イエスの十二人の直弟子の一人である小ヤコブの母であり、もう一人の息子ヨセも、イエスの教えを受けていただろう。二人の息子がイエスの弟子として将来偉くなってくれることを願っていたふしがある。教育ママだったのかな。マグダラのマリアと一緒に十字架の下にいて、そのあと空になった墓を見たとも。

⑤はマルコの母マリア。このエッセイにはまだ登場していない。〈マルコによる福

音書〉の著者であるマルコの母と目されている。エルサレムに家があり、そこが揺籃《ようらん》期のキリスト教信者たちの集会所となった。

子どもの頃にトランプで神経衰弱というゲームをやって遊んだ。五十二枚のカードを伏せておき、二枚ずつめくって、その二枚が同じ数であれば、それが取り分となる。私の家では、時折、二セットの同じカードを使って四枚どりのゲームをやることがあって、これは四枚めくって、AならAが四つそろわなければいけない。

——えーと、クイーンはどこだったかな——

本当に神経が苛立《いらだ》つ遊びだった。

イタリア旅行の最中に、ふと、遠い日のこの感覚を思い出した。

——前にもあったなあ。ああ、そうか——

ミケランジェロの〈ピエタ〉は四作あってイタリアの各地に散っている。

——どことどこだったろう——

トランプに絵柄《えがら》があるように、同じ〈ピエタ〉でも構図がそれぞれ異なっている。どこに、どんなミケランジェロの〈ピエタ〉があったか、たくさんの美術品の中から、それを抜き出す作業が……頭の使い方がむかし遊んだ神経衰弱に少し似ていた。

もし、あなたがイタリアの美術に知識をお持ちなら、ちょっと思案をめぐらしていただきたい。

正解は……まず、いま述べたサン・ピエトロ大聖堂の〈ピエタ〉。マリアがイエスを膝《ひざ》に抱いている。これだけが若い時代の作品で、唯一《ゆいいつ》完成したものである。

二番目がフィレンツェの大聖堂の美術館にある〈ピエタ〉。崩れるイエスを両側から二人の女が抱き、背後からもう一人の男が支えている。右が聖母で、左がマグダラのマリア。左の女は弟子の作で、あきらかに他の部分と仕様が異なっている。背後の男はニコデモという名のイエスの弟子で、これはミケランジェロ自身の自画像らしい。

三番目は〈パレストリーナのピエタ〉。フィレンツェのアカデミア美術館にあって、崩れるイエスを聖母とマグダラのマリアが支えている。未完の作品で、とりわけ背後の聖母は、粗削りのまま。お地蔵さんの頭みたいである。

そして最後がミラノのスフォルツェスコ城にある〈ロンダニーニのピエタ〉。聖母が支えていると言うよりイエスが聖母を背負っているようにも見える。これはまったく未完成の作品だ。未完どころか作品と言えるレベルにも達していない。死を目前にした八十八歳のミケランジェロが震える手に鑿《のみ》を握り、見えない眼で石肌《いしはだ》をさぐり、執念の残り火を燃焼させた、そのアトリエの記録である。

——どう彫るつもりだったのかな——

石が薄すぎて、このまま彫っていったら、彫像の立体感を作ることさえむつかしかったろう。そんな判断は、もうミケランジェロの心にはなかった。ただすがりつくように鑿を当てていたにちがいない。芸術家の執念が怖いほど如実《にょじつ》に漂ってくる作品である。

以上四つ、これほどまで〈ピエタ〉に愛着を持ったミケランジェロの思いはどこにあったのだろうか。それは美術史の解説書に譲ろう。

8 クオ・ヴァディス

新約聖書は二十七巻から成っている。旧約聖書は三十九巻。「三《さん》・九《く》、二十七」という記憶法を教えられたことがある。しかし、分量的には、旧約のほうが二倍以上も厚い。

新約聖書の各巻の名称は次の通り。括弧内の数字は、それぞれがどれほどの分量か、手元にある新共同訳聖書に占めるページ数を記してみた。

＊マタイによる福音書（60）　マルコによる福音書（38）　ルカによる福音書（64）ヨハネによる福音書（50）

＊使徒言行録（60）

＊ローマの信徒への手紙（26）　コリントの信徒への手紙一（26）　コリントの信徒への手紙二（17）　ガラテヤの信徒への手紙（10）　エフェソの信徒への手紙（9）フィリピの信徒への手紙（7）　コロサイの信徒への手紙（6）　テサロニケの信徒への手紙一（6）　テサロニケの信徒への手紙二（4）　テモテへの手紙一（7）テモテへの手紙二（5）　テトスへの手紙（3）　フィレモンへの手紙（2）

＊ヘブライ人への手紙（20）　ヤコブの手紙（7）　ペトロの手紙一（8）　ペトロの手紙二（5）　ヨハネの手紙一（7）　ヨハネの手紙二（1）　ヨハネの手紙三（1）

ユダの手紙（2）
＊ヨハネの黙示録（29）
全体で四八〇ページ。分量に差異のあることに注目あれ。＊をつけて、五つのグループに分けておいたが、おわかりだろうか。福音書、使徒たちの言行録、パウロの手紙、その他の手紙、黙示録の五つである。

中核をなすのは、もちろん四つの福音書で、この中ではマルコが一番はじめに書かれて、西暦六〇年代。ついでマタイ、ルカが八〇年代、ヨハネが一番遅く九〇年代であろうか。それぞれに著者らしい人名が付されているけれど、現代の著述のように著者がはっきりと確定されているわけではない。

イエスの直弟子十二人の中にマタイがいて、〈マタイによる福音書〉は、長くこの人の手によるものと思われていたが、今では否定する説のほうが主流である。直弟子マタイの影響を受けた（かもしれない）もう一人のマタイがいたのではあるまいか。〈マルコによる福音書〉の著者マルコは、イエスの直弟子ペテロの、その弟子くらいの立場であり、前回に記したエルサレムに住むマリアの子どもであった。エルサレムのマリアの家は、揺籃期のキリスト教徒の溜《たま》り場であったから、マルコは十二人の直弟子やパウロなど、有力な先輩たちを見知っていただろう。

〈ルカによる福音書〉の著者ルカは医者であった。パウロに近い立場にいて、簡潔で筋の通った記述が評価されているが、残念ながらイエスを見知っていたわけではない。〈ヨハネによる福音書〉の著者も、十二人の直弟子の一人ヨハネと長く目されてきたが、これも少々あやしい。直弟子ヨハネの寿命と、この福音書の成立とが合致しないなど、いくつかの疑義がある。直弟子ヨハネの影響を受けた（かもしれない）もう一人のヨハネくらいと認識しておいてよいのではあるまいか。

福音書は、イエスの言動を伝えるものと思われがちだが……そして、たしかにそういう部分を含んではいるのだが、厳密に言えば、それぞれの著者がイエスをどう捕えたか、どう伝えねばならないと思ったか、執筆者の主観と立場を反映したものである。事実を伝えるノンフィクションであるより、一つの神学的な見解であり、

「神の子イエスはこんな人だったんですよ」

と、伝道の中で語られたイメージであった。

その中でもはじめの三巻、マタイ、マルコ、ルカはノンフィクション的な傾向が濃く、同じようにイエスの生涯《しょうがい》を追っていることから、一括して共観福音書（Synoptic Gospels）と呼ばれている。英語の“Synoptic”は〝概観の、大意の〟という意味であり、

「イエスの言動は、おおまかに言えば、こんなところでしたよ」

という主旨であろう。

〈ヨハネによる福音書〉は、その点、ずっと神学的色あいが濃く、ありていに言えば、みずからの神学から考えて、

――イエスの生涯はこうであらねばならない。こう解釈されねばならない――

と、かなり強い思い込みで記されており、史実を伝えるドキュメントとしては、つねにフィルターが必要となる。

しかし、私自身は、三つの共観福音書と〈ヨハネによる福音書〉とを比べて、

――大同小異じゃないの――

本質においてさほど大きなちがいがあると思わない。

イエスの生涯はどの道わからないのだし、だれかの生涯を綴《つづ》るときには、かならずその執筆者の主観が入るものだ。人は見たいようにものを見るものである。だからここでは、イエスの言動を、信仰をふまえて記した四つの福音書がある、と、一括して考えておいて、あながちまちがいではあるまい。

新約聖書の読書には〝マタイ読み〟という言葉があって、これは〈マタイによる福音書〉だけを読んで、

「はい、聖書を読みました」

という顔をしているケースである。

四八〇ページあるうちの六〇ページだけを読んで「はい、読みました」は、おこがましいけれど、新約聖書の中核は四つの福音書であり、その四つの中の代表を選ぶとすれば、〈マタイによる福音書〉に落ち着くだろう。〃マタイ読み〃でも読まないよりははるかにましである。おおめに見てもよかろうかと思う。

福音書の二百余ページが過ぎると、新約聖書は新しい部分に入る。イエスの亡《な》きあと、直弟子やその他の弟子たちがイエスの教えをどう伝えたか、キリスト教がどう成立して、そこにどんな困難があったか、どんな励ましがあったか、記述のポイントが大きく変る。

〈使徒言行録〉は、その名の通り、複数の使徒の言行を記したものだが、ペテロとパウロにさかれたページが圧倒的に多い。

ついで〈ローマの信徒への手紙〉から〈フィレモンへの手紙〉までは、ひとことで言えば使徒パウロの手紙である。パウロ一人が差出人でないものもあるが、パウロが大きく関与していたことはまちがいない。各地の教会や指導者たちに、

「たるんでんじゃないぞ。主の教えはこれだぞ」

と檄《げき》を飛ばしている。

パウロについては、第九話で詳述するが、〝パウロなくしてキリスト教なし〟と言われるほど強力な伝道者だった。

そのあとに続くいくつかの手紙は、これに比べると、少々迫力を欠く。ペテロの手紙に注目しておけば充分だろう。ペテロとパウロ、名前が似ているので、混同されかねないが、この区別はレッスン・ワンに属することである。パウロはイエスの直弟子ではなかった。イエスの死後、その教えを知って強力に布教を押し進めた人である。直弟子の一人ペテロのほうが、第一席の後継者だったろう。

最後に置かれた〈ヨハネの黙示録〉、ここでまたトーンが変る。この筆者もよくわからない。成立は西暦九〇年代と推定され、初期教会の有力メンバーの一人だったろう。黙示とは耳慣れない言葉だが、英語では“revelation”つまり暴露《ばくろ》であり、天からの啓示である。ひとことで言えば、世界の終末を預言した幻想文学である。旧約聖書の冒頭で天地の創造が描かれ、新約聖書の最後で天地の終末が描かれ、

――なるほど。旧約と新約は上下二巻の本だったのか――

と、あらためて納得が心にのぼってくる。

旧約聖書はともかく、新約の構造は、福音書（四巻）　歴史的記録（使徒言行録）

手紙（使徒たちの檄文）文学（黙示録）から成っている、と見ることもできよう。

イエスの死と、その復活をもって福音書の記述は終り、聖書の内容も、キリスト教の歴史も新しい局面へと移る。

ペテロは、そのほかの直弟子たちと一緒に、故郷のガリラヤへ帰った。その地でイエスが「復活する」と言っていたからである。

とはいえ、イエスはそれより前に、エルサレムでも復活して姿を弟子たちに見せたらしい。エルサレムでの出現は一同が食事をしているときのこと……。疑うトマスにイエスが手に残った釘《くぎ》のあとや腹を刺した槍《やり》のあとを示して触れさせた、というエピソードも伝えられているのだが、これは予告篇のようなもの、本当の復活はガリラヤで、と辻褄《つじつま》をあわせておこう。

マグダラのマリアからイエスの伝言として「ガリラヤへ行け」と言われ、直弟子たちは半信半疑ながら故郷へ戻った……。いずれにせよイエスがいなくなってしまっては、長くエルサレムに留《とど》まる理由は乏しかった。

「久しぶりに魚でも捕るか」

ペテロのみならず、直弟子たちのほとんどがガリラヤ湖の漁師だった。故郷へ帰れば、とりあえず以前の生業《なりわい》を思い出す。

「じゃあ、俺《おれ》も行く」

「俺も連れてってくれ」

舟に乗ったのはペテロ、トマス、ナタナエル、大ヤコブ、ヨハネ、そして名前は記されていないがほかの二人の弟子……。ユダが離脱して直弟子は十一人になっていたから、主たるメンバーはほとんどそろっていた。

漁は夜おこなう。

一匹も捕れなかった。

「腕がにぶったかなあ」

「まったく」

明けがたになって舟を岸へ戻すと、湖畔にだれかが立っている。その人影が、

「なにか食べるものがあるかね」

と尋ねた。

「いや、ない。なんにも捕れなかった」

「じゃあ、舟の右側に網を打ちな。きっと捕れるから」

「本当かいな」

試しに網を入れてみると、

「すごいぞ」

「こりゃ……どういうわけだ」

網を引きあげるのがむつかしいほど魚がかかった。

「おい……」

ヨハネがペテロに声をかけた。

「なんだ」

「あれは……」

二人はほとんど同時に岸を見て、息を飲む。人影がイエスその人だとわかった。

ザブーン。

その瞬間、ペテロは水に飛び込んで岸へ向かって泳ぎだす。舟も魚を積み込んで岸へ急ぐ。

「先生!」

「先生!」

岸辺ではイエスが炭火を起こし、そのそばに立って笑っていた。パンまで用意してあるぞ。

「魚を四、五匹、頼むよ」

「は、はい」

弟子たちはうろたえながら今捕ったばかりの魚を木の枝に刺して火にあぶった。

――本当にイエスだろうか――

聖書の記述を読むと、復活したイエスを見て、直弟子たちも知りあいの女たちも、すぐにはイエスだとわからない。死んだ人が生き返ったのだから……と、そんな説明が用意されているのだろうが、現実問題として、充分に親しい人が死んで、その人がまのあたりに現われたりすれば、

――あれっ、どうしたんだ――

なによりも先に死んだという事実のほうがなにかのまちがいだと思うのではなかろうか。しばらく気づかずにいたり、見まちがえたりすることは……ありえない。考えにくい。

それとも、復活というのは、当人によく似ているけれど少し異なった姿で現われるものなのだろうか。見たことがないので、私にはわからない。

戸惑う弟子たちを前にイエスは委細かまわず、

「さあ、一緒に朝飯を食べようよ」

とパンをちぎり、ほどよく焼けた魚をさし出す。

「は、はい」

イエスは魚が好物だったらしい。

初期キリスト教徒たちのあいだでは、魚がキリスト教を表わすシンボルとしてよく用いられていた。イエスの教えが漁業と縁の深いガリラヤ湖畔で生まれたことも一つの理由だろうが、それ以上に魚を表わすギリシア語“ichthȳs”が同じくギリシア語の“Iēsūs Christos, Theū Hyios, Sōtēr”（イエス・キリスト、神の子、教主）の頭文字と一致していたからである。

焼き魚をおかずにした朝食が終わると、イエスはペテロに尋ねた。

「あなたは、この人たち以上に私を愛しているかな」

「もちろんです。そのことはあなたご自身がよくご存知でしょうに」

「では、私の小羊を飼いなさい」

「はい？」

ペテロはイエスが言った言葉の意味を考える。しばらくしてイエスはまた、

「ペテロよ。私を愛しているか」

「もちろんです」

「では私の羊の世話をしなさい」

「はい……」

そして、また、

「ペテロよ、私を愛しているか」

ペテロは少し悲しくなったが、きっぱりと答えた。

「もちろんです。ご存知の通りです」

「そうか。では、私の羊を飼いなさい。はっきりと言っておこう。あなたは、若い時分には自分で帯を締めて行きたいところへ行っていた。しかし、年をとると、両手を伸ばして、ほかの人に帯を締められ、行きたくないところへ連れて行かれる」

例によってイエスの言葉は意味深長である。〝私の羊〟はイエスの教えを信ずる人たちのことだろう。若い頃《ころ》のペテロは自分勝手に行動することが許されたが、これからはイエスの教えを広める人となり、やがてはそのためにさし出した二本の腕を縛られ、行きたくもないところへ連行されることになる、と、ペテロの未来を預言しながら、

「それでもよいな」

と、念を押したわけである。

「わかってます」

ペテロはあらためて自分の使命を自覚した。

――エルサレムに行こう――

ガリラヤ湖畔に留まっていては、イエスの教えを広めるのがむつかしい。ペテロは仲間たちと一緒にエルサレムへのぼった。直弟子の一人であるマルコの母マリアの家がエルサレムにあって、そこがペテロたちの溜り場となった。それがエルサレム教会へと発展していく。


ペテロは岩という意味である。その岩の上にイエスの願い通り、預言通りにキリスト教会が造られていく。ガリラヤからエルサレムに戻ったペテロは、人柄《ひとがら》が変ったように力強く、精力的に布教を始める。これまではイエスのあとに従っていればよかった。今度は自分が率先して困難を乗り越えていかなければならない。いったんはガリラヤに引っ込んではみたもののイエスの啓示を受け、あらたに期すものが、生涯《しょうがい》を賭《か》ける決断が、生じたのかもしれない。

――俺にはこの道をまっとうするよりほかにない――

一途《いちず》な性格だけに決心をすれば強い。

まずイスカリオテのユダが脱けたあとを補充しなければならなかった。バルサバとマッテヤの二人が候補として推薦され、祈りのあとでくじを引いてマッテヤが十二人の使徒の一人となった。十二という数には、かつて旧約聖書の時代にイスラエルの民を十二の部族に分けて以来、一定の意味が託されていた。また使徒という言葉は、初期キリスト教会でもっとも重要な職務を担《にな》う人たちの謂《い》いで、一般にはイエスの直弟子十一人（裏切り者のユダは途中から除名）とこのマッテヤ、それにイエスの弟ヤコブ、そしてパウロとバルナバなどに限られている。イエスの弟であるヤコブがいつごろから福音を伝えるグループに加わったか、少なくともイエスの生前にはさほど顕著な存在ではなかったが、やはり血縁者であるという強みがものを言って、めきめき頭角を現わし、ペテロに匹敵する立場を占めるようになった。パウロが使徒に加えられたことについては、ほとんど異論もあるまい。文字通り体を張ってイエスの福音を伝えた人である。使徒中の使徒と言ってよかろう。バルナバは、私財を投じて教会を支え宣教にも熱心であった人で、ミニ・パウロといった役まわりだろうか。これらの人々が中心となってキリスト教とキリスト教会が成立し、多くの困難にあいながらも勢力を伸ばしていく。使徒たちにはイエスの聖霊が宿り、その力によって奇蹟《きせき》をおこなうこともできたらしい。

イエスが十字架に懸けられてから五十日が過ぎた日……それは五旬節《ペンテコステ》の当日であったが（ユダヤ教では過越祭《すぎこしのまつり》から五十日を経た日をそう呼んで祈っていた）ペテロたちが集まって、いろいろ話しあい、結束を固めていた。

そのとき〝突然、激しい風が吹いて来るような音が天から聞こえ、彼らが座っていた家中に響いた。そして、炎のような舌が分かれ分かれに現われ、一人一人の上にとどまった。すると、一同は聖霊に満たされ、霊が語らせるままに、ほかの国々の言葉で話しだした〟と……その場の情景は〈使徒言行録〉第二章の引用文そのものから想像していただきたい。炎のような舌がどんなふうに現われたのか、私にはうまいイメージが浮かばない。

だが、この舌のおかげで、一種の同時通訳的なシステムがそこに誕生したらしい。物音に驚いて多くの人が集まって来た。エルサレムにはさまざまな地方の人々が暮らしていた。当然、そこに集まって来た人たちも、さまざまな地方の出身者である。ペテロたちを見て、

「こりゃ……どういうわけだ？　話してるのは、みんなガリラヤの人じゃないか。なのに、俺たちの国の言葉で話している」

「まったくだ。俺たちの中には、パルティア人、メディア人、エラム人がいるし、メ

ソポタミア、ユダヤ、カッパドキア、ポントス、アジア、フリュギア、パンフィリア、エジプト、キレーネに接するリビア地方から来た者だっている。ローマから来た居住者もいるし、ユダヤ人、改宗者、クレタ人、アラビア人なども混っている。みんながみんな自分の国の言葉で、奴等《やつら》の神様の話を聞かされるんだから」

つまり、喋《しゃべ》っているのはガリラヤ地方の言葉なのに、聞いているほうは、それぞれ自分たちの国の言葉で聞こえてくる、という情況ではあるまいか。日本語で議論をしているのに、周囲の中国人、韓国人、アメリカ人、フランス人、ロシア人、アラビア人……みんなには自分の国の言葉で聞こえてしまうようなものだから、これはもう国際連合の会議場も顔負けのシステムである。

「こいつら、酔っぱらってんじゃないのか」

いや、いや、酔っぱらっていたら余計にこんなことはできない。

ペテロたち十二人が立ちあがり、おごそかに語りだした。

「ユダヤのみなさん、エルサレムに住むすべてのかたがた、どうか知っていただきたい。私たちは酒に酔っているわけではない。これこそ神の奇蹟なのです」

ペテロはこう前置きをしてから、とうとうと古くからの預言、メシアとしてのイエス、その復活の意味などを……イエスの福音を述べ伝えた。

ペテロの言葉を受け入れて、この日、洗礼を受けた者は三千人。一同はパンを裂いて祈り、これが記念すべきエルサレム教会の発足となった。

「みんなで財産を共有しよう」

「それがいい、それがいい」

心も一つなら、財布も一つのほうがよろしい。土地や家を持っている人は、みんなそれを売って代金を持ち寄り、使徒たちの足もとに置く。お金はみんなのものとなり必要に応じてそれを使った。キプロス島生まれのバルナバがすべての畑を売って教団の活動に加わったのもこのときである。

不心得者がいなかったわけではない。

アナニアという男と、その妻のサフィラ。二人は教会に寄付をするために自分の土地を売ったが、

「こんなにたくさん寄付することもないな」

「そうよ。全然寄付をしない人だっているのよ」

「いくらないからって、こっちばっかり当てにされたらかなわん」

「本当よ」

土地を売った代金の一部を懐《ふところ》に納め、残りをうやうやしくペテロの足もとに置いた。

ペテロはすぐに見抜いて、

「アナニアよ。あなたは、なぜごまかしたりするのか。土地は売らなければ、あなたのものだったし、売った代金だって、そのつもりならあなたの思い通りに使えたではないか。いかにも神の前によいことをしたような顔をして、実はサタンに心を奪われている。それがいかん。あなたは主の霊を欺《あざむ》いたのだ」

と、激しく責めたてた。

アナニアは、まっ青になり、

「ああーッ」

その場に倒れ、息が絶えた。神の罰が下ったのである。

アナニアの死体を運び出して少したつと、その妻のサフィラがノコノコと入って来た。ペテロが問いかける。

「土地を売ったお金はいくらかね。この金額かね」

「はい。全部捧《ささ》げました」

「なんと！　二人で示しあわせて主の霊を欺くとは……。あなたたちは赦《ゆる》されない。アナニアを葬《ほうむ》った人たちが、もう入口のところまで戻って来ている。今度はあなたを担《かつ》ぎだすだろう」

「ああーッ」

サフィラもペテロの足もとに倒れて死んでしまった。

教会に集まった人々は、この話を聞いてみんな非常に恐れた……と、これはまあ、恐れて当然ですね。私なんかアナニアさん夫妻にちょっと同情したくなってしまう。現実問題として言えば、これほどの厳罰で対応する組織というものは、恐怖ばかりが先行してあまりよい組織にはならない。アナニア夫妻の事件は事実と言うより初期教会の共同生活が充分に厳しい決意で結成された、と、そう理解すべきエピソードだろう。

ペテロとそのほかの使徒たちは眦《まなじり》を決してイエスの教えを説き、病気を癒《いや》し、信者を集め、拠点となる教会の組織を固めた。

信者の数が増えるにつれ、使徒たちだけでは手が足りない。集まって来る人々の中には、ギリシア語を話すユダヤ人と、ヘブライ語を話すユダヤ人がいて、その間に多少の対立がないでもなかった。

当時の地中海沿岸にはギリシア文明が浸透していた。いわゆるヘレニズムである。ペテロのもとに集まって来る人たちはユダヤ系の人たちが多かったが、当時のユダヤ人の中には本国を離れて外国に生活の拠点を持つ人もたくさんいて、この人たちはギリシア語を話し、ヘレニズム的な思考を身につけていた。ヘブライ語を話すユダヤ人ヘブライストに対し、ヘレニストと呼ばれた人たちである。

使徒たちはヘブライストのほうだから、彼等だけで指導部を構成していたのでは組織の運営がむつかしい。ヘレニストの中から心がけのよい七人を選んでもらい、運営面の仕事を委《ゆだ》ねた。ステパノ、ピリポなどである。

当初は組織を維持するための手段として講じられたことだったろうが、ヘレニストを仲間に組み込んだことには大きな意味があったろう。アレクサンドロス大王の大遠征このかたヘレニズム的世界は行く先々に広がっていた。ヘレニストを通してギリシアへ、ローマへと布教の道が開けていくこととなったのである。

七人の中の一人ステパノは有能で、真摯《しんし》な人柄だったらしい。弁舌も立つ。彼と論争をすると、律法学者も歯が立たない。

——あの野郎、生意気だ——

旧勢力がステパノを捕らえ、最高法院へと引きたてる。イエスのときと同様である。ステパノは大弁舌を振《ふる》った。アブラハムからモーセを経て、どのように神の教えが伝えられて来たか、それがイエスにどう結実したか、さらに律法学者が本筋からはずれてどれほど腐敗しているか、舌鋒《ぜっぽう》鋭く述べたからたまらない。

「言わせておけば、いい気になりやがって」

聞いていたのは律法学者側の人たちばかりだったろう。ステパノを町の外に連れ出し、石を投げて惨殺《ざんさつ》した。ステパノは主イエスの名を呼び続け、

「主よ、私の霊をお受けください。この罪を彼等に負わせないでください」

と叫んで息絶えたとか。キリスト教最初の殉教者であり、今でもエルサレムのステパノ門（ダマスコ門のこと）にその名を残している。

もう一人のヘレニスト、ピリポ（使徒のピリポとは別人）は、天使の命令を受けてエルサレムから海岸の町ガザへ向かった。途中でエチオピアの女王に仕える宦官《かんがん》の馬車に追いつき、聞けばその宦官はイザヤ書の一節を朗読している。イエスの受難を預言しているくだりだった。

「わかりますか」

とピリポが話しかけると、

「いや、どうもピンとこなくて」

「じゃあ、お教えしましょう」

ピリポはイザヤの預言がなんなのか、イエスの受難がどういう意味を持つものか、この宦官に説き聞かせ、洗礼まで授けてしまう。そののちピリポはさらに地中海沿岸

の大都カイサリアまで赴いて福音を伝えた。

もちろんペテロもじっとしてはいない。リダという町で中風にかかった女を治し、ヤッファに至って死人を生き返らせる。

ヤッファは現在テル・アビブ市の一郭を占める地域で、その細い路地の奥に皮なめし職人シモンの家が名所の一つとして残されている。ペテロが滞在した家の名残りである。このシモンもヘレニストだったろう。ユダヤ教徒にとって大切な割礼も受けていなかった。

ペテロはこの家に泊まって幻を見る。

ペテロが祈っていると、天から布袋が下りて来た。中には地上の獣、野獣、地を這《は》うもの、鳥などが入っていた。声が聞こえた。

「ペテロよ。殺して食べなさい」

ペテロは驚いて答えた。

「主よ。私は汚《けが》れたものを口にしません」

袋の中身は、ユダヤ教の戒律によって禁じられている肉ばかりだった。

「なにを言うのか。神が清めたものを汚れているなどと言ってはならない」

このようなことが三度くり返されたのち、布袋は天に引きあげられ、幻が消えた。

外に人声が聞こえ、

「ペテロとおっしゃる尊いかたが、ここにいらっしゃいますか」

三人のローマ兵が立っている。

「ペテロは私だが？」

「私たちはカイサリアの百人隊長コルネリウスの部下です。あなたをお迎えにまいりました」

カイサリアはヤッファから四十キロほど北に位置する港町である。ローマ総督が駐在する要害の地であった。

聞けば、コルネリウスも幻を見たらしい。天使が現われ、

「コルネリウスよ。今すぐ人をヤッファに遣わし、ペテロと呼ばれる人を招きなさい。その人は皮なめし職人シモンの家にいる」

と告げた。

コルネリウスは神を信じ、神に祈る人であった。

ペテロは三人と一緒にヤッファを発《た》ち、カイサリアへ行く。コルネリウスは大勢の人を集めてペテロを待っていた。

「よく来てくださいました」

と、ひれ伏す。

征服者であるローマの百人隊長がペテロの足もとに伏すこと自体が普通ではない。コルネリウスの敬虔《けいけん》な気持ちを示している。ペテロは首を振り、

「お立ちください。私も同じ人間です。ご承知の通り、私たちユダヤ人は外国人と親しく交際したり、食事を共にしたりすることができません。律法で禁じられているからです。しかし、私も幻を見ました。神は私に、人間を清いの清くないのと分けへだてしてはならないとお示しになりました。それでお招きを受けて、すぐに訪ねてまいったわけです」

「どうぞ私たちにあなたの神をお教えください」

ペテロはイエスの復活を説き、コルネリウスたちに洗礼を授けた。

これら一連の出来事は、イエスの教えがユダヤ教の戒律を離れて自由に異教徒にまで届くものとなったことを示すものであり、画期的な意味を持つ事件であった。

カイサリアからさらに北方に五百キロほど行くとアンタキヤがある。現在はトルコに属し、シリアとの国境に近い。往時はローマ、アレクサンドリアに次ぐ大都であった。この町の名所は高い岩壁を穿《うが》って建つ洞窟《どうくつ》教会である。

「最初のキリスト教会です」

と、ガイドが説明してくれるが、この種のことは最初を決めるのが案外むつかしい。早いということなら、エルサレム教会のほうが先だったろう。

しかし、相当に早い時期にアンタキヤに教会が造られたのは事実である。エルサレムでステパノに加えられた迫害などを見て信徒たちが各地へ散ったからである。そして、それは「地の果てまで教えを伝えよ」というイエスの指示にも適《かな》っていた。

それまではユダヤ教の一派くらいに思われていたキリスト教がアンタキヤではじめて新しい宗教として周囲に認められた。キリスト教徒（クリスティアノイ）という呼び名はこの地から始まった。そんな経緯から洞窟教会が最初のキリスト教会としてガイドブックなどに紹介されているのだろう。現在のアンタキヤは人口九万人ほどの町である。オロンティス川が流れ、少々ほこりっぽい。繁華街の角を右に曲がり、細い坂道を昇ると、洞窟教会のファサードが岩壁にへばりついている。内部は穴の中である。いざというときのために逃亡の道が造られていたらしいが、今は塞《ふさ》がっている。ここまで訪ねて来る観光客はそれほど多くはあるまいが、キリスト教の発祥を記念する施設であることはまちがいない。

話をもとに戻して……布教の浸透と迫害の爪《つめ》あとは、楯《たて》の両面のような関係を持っている。ヘロデス・アグリッパス一世王が旧勢力を身方につけようとして新勢力の圧迫を計り、まず使徒ヤコブが王の命により刺し殺された。このユダヤ王は、生まれたばかりのイエスを殺そうとしたヘロデス大王の孫であり、洗礼者ヨハネの首を斬《き》ったヘロデス・アンティパスの甥《おい》であり……キリスト教にとってはまことにわるいめぐりあわせの血筋である。

ヘロデス・アグリッパス一世王はさらにペテロにも手を伸ばし、牢獄《ろうごく》に繋《つな》ぐが、牢の中に天使が現われてペテロをなんなく連れ出してしまう。一方、王のほうは、演説の最中に神の声とともにパタン、コロリと頓死《とんし》する。二つの奇蹟《きせき》は迫害に苦しむ信者たちをおおいに力づけたにちがいない。

メトロ映画の大作〈クオ・ヴァディス〉を見たのは、私が高校生の頃《ころ》だったろう。世界史の教師が映画ファンで、

「勉強の役にもたつから」

と、この映画を勧めてくれた。

このお墨つきがあれば、小遣いはもらいやすい。たしか封切り館で、柔らかいシートにすわってゆったりと見たはずである。

あれから四十年、神田のビデオ・ショップで二巻のビデオ・テープを見つけ、買い

求めて久しぶりにヒーローたちに再会した。遠い昔のことのはずなのに、ところどころ覚えている。一瞬、脳味噌《のうみそ》の片隅《かたすみ》から、

——あ、そうか。これ、見たな——

と、かなり鮮明な記憶が甦《よみがえ》ってくるのは、不思議な気分である。しかし、あらかたは忘れている。

——デボラ・カーはきれいだったんだなあ——

と、あらためてヒロインの清純な美しさに感動した。

資料を調べると、監督はマービン・ルロイ。男性の主役はロバート・テーラーで、これは一世を風靡《ふうび》した美男スターである。史劇には美男と美女がよく似あう。〈クオ・ヴァディス〉の原作は、ポーランドの作家ヘンリック・シエンキエヴィチの同名の小説で、たしか彼はこの作品でノーベル文学賞を得ているはずである。

時代はイエス・キリストの教えがローマに広がり始めた一世紀の中ごろ、帝国は暴君ネロの統治下にあった。

ネロは詩歌や音楽を愛し、みずからを神だと思っている。ホメロスにも匹敵する佳詩を作るためには現実の大火を見なければならないと、そんな妄想《もうそう》にかられ、臣下に命じてローマに火を放つ。西暦六四年のローマの大火だった。その妄動が噂《うわさ》となって

民衆に知られそうになると、ネロはあわてて、

「キリスト教徒が火をつけたのだ」

と虚報を流し、キリスト教徒の弾圧を命ずる。捕らえられたキリスト教徒は競技場で火あぶりにされ、ライオンの餌食《えじき》に供される。

デボラ・カーが演ずるリジアは敬虔なキリスト教徒である。ロバート・テーラーが演ずるマーカス（原作ではウイニキゥス）はローマの若い軍団長であり、ネロの臣下であったが、リジアを知り次第にキリスト教に感化されていく。大ローマ帝国と暴君ネロ、ひたむきに信仰を守るキリスト教徒たち、そして美男と美女のせつない恋、小説も映画も、見せどころに不足はない。

映画では白髪白衣のペテロが登場して、群衆を相手に説教をするのだが、

——ペテロらしいな——

と、四十年ぶりにあらためて感心した。昔は気づかなかったことである。

同じキリスト教の指導者でも人によって主張のトーンはおのずから異なる。ペテロはペテロらしくなくてはなるまい。

新約聖書には〈ペトロの手紙一、二〉の二巻があって、これを読むと使徒ペテロの思想がおのずと見えてくる。ペテロの強みは、なんと言っても、イエスの側近として

親しく仕えたことだろう。イエスの神性を確信したうえで、すべてを捨てて身を委ねることを訴える。それがペテロの立場である。〈ペトロの手紙一〉から、いくつかの文章を拾ってみよう。

〝愛する人たち、あなたがたに勧めます。（中略）異教徒の間で立派に生活しなさい。そうすれば、彼らはあなたがたを悪人呼ばわりしてはいても、あなたがたの立派な行いをよく見て、訪れの日に神をあがめるようになります。

主のために、すべて人間の立てた制度に従いなさい。それが、統治者としての皇帝であろうと、あるいは、悪を行う者を処罰し、善を行う者をほめるために、皇帝が派遣した総督であろうと、服従しなさい。善を行って、愚かな者たちの無知な発言を封じることが、神の御心《みこころ》だからです。自由な人として生活しなさい。しかし、その自由を、悪事を覆《おお》い隠す手だてとせず、神の僕《しもべ》として行動しなさい。すべての人を敬い、兄弟を愛し、神を畏《おそ》れ、皇帝を敬いなさい。

召し使いたち、心からおそれ敬って主人に従いなさい。善良で寛大な主人にだけでなく、無慈悲な主人にもそうしなさい。不当な苦しみを受けることになっても、神がそうお望みだとわきまえて苦痛を耐えるなら、それは御心に適うことなのです。罪を犯して打ちたたかれ、それを耐え忍んでも、何の誉れになるでしょう。しかし、善を行って苦しみを受け、それを耐え忍ぶなら、これこそ神の御心に適うことです。あなたがたが召されたのはこのためです。というのは、キリストもあなたがたのために苦しみを受け、その足跡に続くようにと、模範を残されたからです。

「この方は、罪を犯したことがなく、

その口には偽りがなかった。」

ののしられてもののしり返さず、苦しめられても人を脅さず、正しくお裁きになる方にお任せになりました。そして、十字架にかかって、自らその身にわたしたちの罪を担《にな》ってくださいました。わたしたちが、罪に対して死んで、義によって生きるようになるためです。そのお受けになった傷によって、あなたがたはいやされました。あなたがたは羊のようにさまよっていましたが、今は、魂の牧者であり、監督者である方のところへ戻って来たのです〟（第二章）

〝愛する人たち、あなたがたを試みるために身にふりかかる火のような試練を、何か思いがけないことが生じたかのように、驚き怪しんではなりません。むしろ、キリストの苦しみにあずかればあずかるほど喜びなさい。それは、キリストの栄光が現れるときにも、喜びに満ちあふれるためです。あなたがたはキリストの名のために非難されるなら、幸いです。栄光の霊、すなわち神の霊が、あなたがたの上にとどまってくださるからです。あなたがたのうちだれも、人殺し、泥棒《どろぼう》、悪者、あるいは、他人に干渉する者として、苦しみを受けることがないようにしなさい。しかし、キリスト者として苦しみを受けるのなら、決して恥じてはなりません。むしろ、キリスト者の名で呼ばれることで、神をあがめなさい〟(第四章)

これが第一席のリーダーであるペテロから信徒たちへ送られたメッセージであり、そこには神を信じたうえでの無抵抗主義が垣間《かいま》見えてくる。イエス自身はもう少し激しい抵抗を秘めていたような気がするのだが、ペテロはあくまでも静かな抵抗である。無抵抗に近い信仰を勧める。映画では暴君ネロがいくらライオンをけしかけても、信者たちは歌を歌い、悠然《ゆうぜん》と死を迎える。画面を見ていると、

――こんな心境もあるかもしれんな――

と思わせるほどにペテロの説教には説得力がある。私がペテロらしいなと思った理由もそこにあった。

ローマの中心部から自動車で五、六分、アッピア旧街道を南下すると、道が二つに分かれ、そこにドミネ・クオ・ヴァディス教会がある。

〈クオ・ヴァディス〉の伝説は、多くの人が知っているだろう。西暦六四年、ローマ

の大火を逃れてペテロはアッピア街道を急いでいた。迫害を恐れての脱出だった。突然、朝霧の中に主イエスの姿が浮かんだ。ペテロは叫んだ。

「ドミネ・クオ・ヴァディス？」

主よ、どこに行かれるのですか、の意である。イエスは答えた。

「あなたが私の子等を見捨てるならば、私がローマへ行き、もう一度十字架に懸かろう」

ローマには多くのキリスト教徒たちが残っていた。それを見捨ててはなるまい。ペテロは恥じて、いま来た道を引き返す……。

聖書に記されていることではないし、信憑性《しんぴょうせい》も薄いのだが、この伝説は、イエスとペテロと、そしてローマでの宣教活動とを伝えて、つきづきしい。ドラマチックでもある。

教会が建っているY字路のあたりが、さしずめペテロがイエスを見た地点なのだろう。小さな教会だが、そのひっそりとしたたたずまいが、かえって伝説にふさわしい。祭壇の前に置かれた石の上に、イエス・キリストの大きな足跡が凹《へこ》んでいるのは、なぜだろう。

ローマに戻ったペテロはネロに捕らえられ、さかさ十字架の刑に処せられて殉教する。

「主イエスと同じ刑罰ではおそれ多いことです」

と、みずから望んで、さかさ十字架を選んだとか。バチカン市国の中心にあるサン・ピエトロ寺院は、その名の通りペテロの墓の上に建てられた聖堂だが、その広場には、天国の鍵《かぎ》を握ったペテロの像が建っている。

そして、そのペテロの像と対《つい》をなして建っているのが、パウロの像である。この偉大な宣教者については、次に触れよう。

9 パウロが行く

春の気配が漂う四月のなかば過ぎ、トルコのタルソスを訪ねた。

トルコ共和国は日本の二倍ほどの面積が地中海の北東部でひとかたまりになっているような地形だが、寒暖の差は思いのほか激しく、寒いところは結構寒い。暑いところは充分に暑い。そんな事情もあって観光シーズンは四月から始まる。

奇岩の連なる景勝地カッパドキアから車で三時間あまり、海抜三千メートルを越える山脈を眺《なが》めながら山麓《さんろく》の道を縫って地中海沿岸へと向かった。タルソスは海に面していないけれど、海まではそう遠くない。古代にはおおいに栄えた町であった。そしてここが使徒パウロの生まれた町である。

繁華街へ入るとクレオパトラの門があった。ローマの将軍アントニウスが、この門の下でクレオパトラを待ち、そこから歴史的な恋が始まったとか。門壁は崩れているが、アーチは残っていて自由にその下をくぐり抜けることができる。パウロもこの門の下を通っただろう。

門からさらに四、五分、あまりきれいとは言えない町並みの一郭にパウロ生誕の地があった。

草の下に古い建造物の土台のような石組みが残っているが、ご多分に漏れずそれがパウロの生家かどうか、おおいに疑わしい。井戸があって、ローラーにチェーンを巻いて水を汲《く》みあげる。パウロが飲んだ水……と、まあ、そういうことになっている。だが、パウロがこのあたりで生まれ、このあたりで育ったのは本当である。大ざっぱな言い方が許されるならば、キリストの教えは現在のイスラエルで誕生し、ギリシア、ローマへと広がって行った。その道筋はすっぽりと現在のトルコ領に含まれている。伝道者パウロがこの地に生まれたのは偶然とはいえ意味深いことであった。ここで生まれたからこそパウロがパウロたりえた、と、そう言ってもあながちまちがいではあるまい。

パウロについては〝タルソス生まれのユダヤ人、幼いときからパリサイ派の教育を受け、熱烈なユダヤ教徒であった。ギリシア語を話し、ローマの市民権を持っていた〟と、その出自が説明されている。

ユダヤ人の一部は、ずいぶん昔から故郷のパレスチナを離れ、ギリシア的世界に進出し、しっかりと根をおろしていた。タルソスにも多くのユダヤ人が住みついて、生業を営んでいただろう。パウロはテント作りの技術を持つ職人であった。生家はそれなりに裕福な家だったらしい。

すでにアレクサンドロス大王の時代を通過していたから、このあたりの地域はヘレニズムの気配を少なからず漂わせていただろう。代々この地に住んでいれば、ギリシア語が日常の言葉となる。しかしユダヤ人である以上、信仰はユダヤ教に拠《よ》っていた。パウロの親たちも熱心な信者であった。パウロは早くからユダヤ教の一派であるパリサイ派の教育を受け、その教養においては相当なものを身につけていた。

パウロの生年は確定できないが、イエスより少し年下、西暦の一けたくらいが推定されている。当時ローマの権勢は広く強く、充分に地中海世界に浸透していた。ローマは支配下の都市に住む有力な異国人に対し、おそらく懐柔のためであろうが、ローマ市民権を与えることがあって、パウロの生家はその栄誉を受けていた。以上の事情を換言すれば、パウロは生まれながらにしてユダヤ教、ヘレニズム、ローマの力……つまり当時の三大勢力と接点を持っていたわけである。

パリサイ派はユダヤ教の中でもとくに律法に厳しく、布教に熱心な一派であった。その教えを受けたパウロは、のちに彼自身が語っているところによれば〝律法を守ることにおいては落ち度のない者〟であり〝同年配の者に勝っていた〟のである。筋金入りのユダヤ教徒だったから、イエスの教えに従う人たちを見て、

——なんだ、ヘンテコなものがはやり始めたな。けしからん——

しばらくはその弾圧の急先鋒《きゅうせんぽう》となってキリスト教徒を迫害していた。まったくの話、

どこかにキリスト教徒が隠れていると聞けば、大祭司の命令を受け、わざわざ出向いて行って捕縛連行するなど、徹底した弾圧者だったのである。殉教者ステパノの殺害にも彼は加わっている。

あるとき、パウロはエルサレムを出てダマスコへ向かった。このときもキリスト教徒の迫害が目的だった。ダマスコは現在のシリアの首都ダマスカスである。この地帯特有の岩砂漠《いわさばく》の道を急ぎ、パウロたちの一行がダマスコの近くまで来たとき、突然、天から光が射《さ》し、彼を包んだ。

パウロが地に倒れると、声が聞こえた。

「サウロ、サウロ、なぜ私を迫害するのか」

サウロというのはパウロのヘブライ系の名前である。

「あなたは……だれですか」

声は天から降り落ちて来た。

「私は、あなたが迫害しているイエスである。起きて町へ入れ。あなたのなすべきことが知らされるだろう」

声ばかりが聞こえて姿は見えない。神の啓示だろうか。パウロは立ちあがり、眼《め》を開けたが、なにも見えない。同行者がパウロの手を引いてダマスコの町へ入った。

お話変ってダマスコの町にアナニヤという男が住んでいた。キリストの教えを守る忠実な信徒だった。

前後の事情はよくわからないが、幻の中にイエスが現われ、

「アナニヤよ」

と呼びかける。

「ここにおります」

「立って、直線通りへ行け。ユダの家でタルソス生まれのサウロが祈っている。その男は、眼が見えない。あなたが行って、手を置けば、眼が見えるようになる。彼はそれを待っている」

アナニヤはタルソス生まれのサウロと聞いて驚いた。

「その男は迫害者です。わるい噂《うわさ》をたくさん聞きました。あなたの教えを守る人々を捕らえるためにやって来たのです」

だがイエスは肯《がえん》じない。

「行け。その男こそ私が選んだ者なのだ。異国の民に、諸国の王に、そしてイスラエルの子らに私の名を伝えるために選んだ器なのだ。私の名を伝えるためにどれほどの苦難を負わなくてはならないか、私が彼に示そう」

こう告げて幻は消えた。

アナニヤは直線通りのユダの家を捜して訪ねた。後世の発掘によれば、ダマスコの旧市街を東西に貫いて、まっすぐの道があったことが確認されている。

「ごめんください」

ユダの家にはたしかに眼の見えない男がいた。三日三晩、食事もせずに臥《ふ》せていた。アナニヤが事情を話し、イエスの幻に命じられた通りにパウロの手の上に自分の手を置き、

「主イエスが私をお遣わしになったのです」

と告げると、パウロの眼から鱗《うろこ》のようなものが落ち、たちまち眼が見えるようになった。感動したパウロは洗礼を受け、食事をして元気を取り戻した。

パウロの回心と言われる奇蹟《きせき》である。

イエスの声はパウロにしか聞こえなかったらしい。だから、それを幻聴とかたづけることはやさしいが、それではこの出来事の神学的な意味が失われてしまう。

パウロ神学の根底にあるものは〝イエスは神の子であり、救世主である〟という認識である。パリサイ派の教徒であったパウロは、

「イエス？　どうせいかさまにきまっている。神の子だなんて、とんでもない」

と思い、いかさま師を信ずる人々を否定し、弾圧していたのだが、死んだはずのイエスが自分の前に現われ、呼びかけてくれたことにより、

――これはいかさまなんかじゃない。噂通り神の子なんだ――

と、納得したわけである。

と言うより、この顕現を契機として〝イエスを救世主として信ずること〟という、パウロ神学の根本が誕生したと見るべきであろうか。

ともあれ、思考のコペルニクス的転回とも言うべき変転が起きて、パウロはパリサイ派を捨ててキリスト教徒となった。弾圧者が信奉者に変ったわけである。一転してイエスの教えを説き始めたパウロを見て、みんなが驚いた。イエスの教えを信ずる人たちのあいだでは、

「嘘《うそ》。このあいだまで私たちの仲間を縛りあげてた人じゃない」

「なんか企《たくら》んでんじゃないのか」

おおいに警戒され、疑われもしたが、次第にパウロの真意を知って疑いを解いていく。先に私財を投じて初期教会の設立に貢献したバルナバが、

「この人は大丈夫。すばらしい仲間だ」

と、パウロを弁護してくれたのもおおいに効果があっただろう。エルサレムにいた

使徒たちもパウロを認知し、これに力を得たパウロは雄弁にイエスの教えを語り、宣教に励んだ。

一方、パリサイ派のほうは、

「なんだ、あの野郎。寝返りやがって」

と、殺害まで企てたらしい。パウロの宣教は、その始まりから波乱を含んでいたのである。

新約聖書はつまびらかにしていないが、ここで、この時期のパウロの足取りを略記しておこう。ダマスコの郊外でイエスの声を聞いたのは西暦三三〜三五年頃《ごろ》だったろう。そのあとアラビアに行き、ダマスコに戻って滞在し、三年後、彼はエルサレムへのぼる。ダマスコの三年間はどういう時期だったのか。エルサレムへの訪問は先輩の使徒たちに会って自分を認知してもらい、信仰と布教の実態を確かめるためだったろう。このときに彼はペテロと、イエスの弟ヤコブに会っている。ペテロはもちろんのこと、ヤコブもまたイエスの死後、エルサレム教会の指導的な立場に就いていた。

西暦四七年頃、パウロは第一回の伝道旅行に旅立つ。そして、そのあと西暦四九年にふたたびエルサレムへのぼって使徒会議に出席する。

パウロとペテロの仲は、さほど親密なものではなかったろう。同じ教えを信じながらもそれぞれの背景が異なっている。パウロはペテロの教養の乏しさを嘆いていたふしがある。幼いときからパリサイ派の教育を受けたパウロと、ガリラヤ湖の漁師とでは頭の働きにおのずと差異があっただろう。ペテロは真摯《しんし》な信仰を抱いていただろうが、信仰の理論化についてはけっして巧みではなかったろう。それでいながら初期教会の組織の中では、ペテロのほうがパウロより数段上位の立場にいたにちがいない。さらに、この時期のエルサレムでは、イエスの弟ヤコブのほうがペテロ以上に主導権を掌握していた、という説もあるが、いずれにせよパウロは新参者であり、中枢部《ちゅうすうぶ》にはそう簡単に入れない。どんな組織だって人間の集まるところには、こうした上下関係がある。

パウロの立場は一貫して「私はダマスコの郊外でイエスから直接使命を受けた者である」であった。その意味において、彼はイエスの直弟子なのであり、ペテロたちの弟子ではなかったのである。十二人の使徒（イスカリオテのユダを除く十一人と言うべきか）やイエスの弟ヤコブが、

「なんだ、あの男。熱心なのはいいけど、態度がでかいんじゃないのか。主イエスに会ったこともないくせに」

と、鼻白んでいるのを見て、パウロは、

「残念でした。私はちゃんとお会いしてます。イエスは神の子なんですから、死んだって姿をお見せになりますよ」
なのである。

まあ、そんな下世話な対立感情は措《お》くとして、もう一つ、ヘブライストとヘレニストの存在は看過できない。当時ユダヤ人の中には、パレスチナ地方に住んでヘブライ語を話す人たち（ヘブライスト）と、故郷を離れヘレニズム的世界に身を置いてギリシア語を日常語とする二世、三世、四世……など（ヘレニスト）とがいた。エルサレム教会はヘブライストが中心だったろうし、一方、パウロは彼自身もヘレニストであり、いきおい布教の対象はヘレニストたちとなる。ペテロたちも、イエスの遺言として「地の果てまで行って教えを広めなさい」と言われていたから、国境を越えて布教に努めたが、この点においてはパウロのほうがずっと適格者であった。ヘブライストの眼がどうしてもエルサレム教会のほうへ向きがちになるのに対して、パウロは余儀なく（あるいは積極的に）異国のほうへ……アナトリア、ギリシア、ローマへと布教の眼を向けなければならなかった。パウロの布教活動は（教会への献金集めの成果などもあって）月日を追って次第に評価されていっただろうが、当初はエルサレムから遠く離れたところで、

「なんか一生懸命やってる奴《やつ》がいるなあ」

くらいの認識だったろう。

後代に編集された新約聖書を読むと、パウロははじめから組織の重鎮であったように映るが、そんなことはありえない。精力的な実践活動をおこない、少しずつ地歩を固め、有無を言わせぬ立場にのしあがったわけである。

西暦四九年にエルサレムで催された使徒会議は意味深いものであった。出席者はペテロやイエスの弟ヤコブなどエルサレム教会の重鎮たち、そしてアンタキヤ教会からパウロやバルナバたちが集まった。

煎《せん》じ詰めれば、この会議のテーマは、異郷のキリスト教徒にも割礼をほどこすべきかどうかであった。より正確に言えば、割礼に代表される律法を固く守るべきかどうかである。

言うまでもなくユダヤ教とキリスト教は異なった宗教である。だが、その根本にある神は同じものである。そして、ユダヤ教にとって割礼はその神との契約であり、その神への忠誠を誓う大切な儀式であった。ユダヤ教徒の家に生まれれば否応《いやおう》なしに生後間もなく割礼をすませているが、異郷の民となると、そうはいかない。ユダヤ系の家族でも二世、三世、四世……と異郷の生活が長くなると、ほかの血も混じるし、古い習慣を捨ててしまう。

「割礼？　あそこの皮を切るんだろ？」

「そう」

「厭《いや》だよ、俺《おれ》。痛いもん」

異郷の民には違和感がなくもなかった。

それに……もっと大切な問題として、パウロにとっては、

——割礼なんか、どうでもよい——

そう思う神学的な理由があったのである。

パウロの考えは、まずイエス・キリストを信ずること。律法を守るかどうかは二義的な問題である。イスラエルの神との契約はイエス・キリストにおいて成就《じょうじゅ》されたのであり、その経緯はもともと律法より前に定められたものである、とパウロは考える。だからイエス・キリストを信じなければ、律法もへちまもないのであり、割礼より先にまずイエス・キリストを信じなさい、ということになる。

旧約聖書に記されたアブラハムこのかた（あるいはアダムとイブこのかた、と言ってもよいが）イスラエルの民はモーセを仰ぎ、ダビデを敬い、ずっと律法を神の掟《おきて》として過ごしてきたが、機が熟したところで神は救世主《メシア》であるイエスを地上に遣わし、

イエスの血により人間の犯した罪をあがない、イエスを信ずることによって人間が救済される、という道をお示しになった。これらはみんな神の眼から見れば、あらかじめ決められていたことであり、イエスの顕現を経た今日では、古い律法を守ることより、イエスを救世主《キリスト》として信ずることのほうがよほど重要である。割礼なんか糞《くそ》くらえ、だったのである。

「そんなに割礼が好きなら、根もとから切ってしまえばいい」

と、パウロはそのくらい荒っぽい言辞も吐いていたらしい。

察するに、エルサレム教会のほうは（なにしろエルサレムはユダヤ教の本拠地なのだから）古い宗教的伝統を頑《かたく》なに守っていこうという気運が強かったろう。イエスについても、ユダヤ教の歴史の中に現われた偉い預言者の一人くらいの認識しかなかったかもしれない。割礼に代表される古い律法を、

「やっぱりちゃんと守っていかなきゃ」

と考える人も多かっただろう。

それではキリスト教はユダヤ教の一派になり下ってしまう。その可能性も充分にあっただろう。パウロの反抗は実にその点にあった。

〝パウロなくしてキリスト教なし〟という言葉は、パウロの精力的な布教活動につい

てのみ言われるものではなく、神学的な判断においても言えることであったろう。

「割礼なんかしなくてもいい。イエスを救世主として、しっかり信ずることだ。十字架に懸かり復活した意味をきちんと理解することのほうが、よっぽど大切だ」

とパウロは言う。たしかに福音書の中のイエスは、そういう言行を示している。

「そうかなあ」

と疑う人がいても、会議に出席したパウロは、

「とにかく私はその方針で布教をする。いいですね」

「うーん。まあ、異郷での布教活動となると、それがいいのかな」

「どこだって、同じことだと思うけど……」

「一応はその方針でいいよ」

エルサレム教会は、パウロの主張を全面的に認めたわけではなく、当座の妥協を与えたというのが実情だったろう。しかし、あとになって考えてみれば、これはキリスト教という新しい宗教の存亡にかかわる岐路であった。歴史的に見てもパウロが展望する世界のほうが開けていた。パレスチナ周辺の宗教に留《とど》まるか、ギリシア、ローマへと広がっていく宗教になるのか、後者のほうがずっと展望は大きい。

――私が頑張《がんば》らなくちゃあ――

パウロの常軌を逸した宣教活動も、そのエネルギーを、この会議から得ていたにちがいない。

パウロの宣教旅行は総計二万キロに及んでいる。地球の半分を行く距離である。当時の交通手段を考えれば、これがどれほどの難業かたやすく見当がつくだろう。その旅のありさまは、

〝苦労したことはずっと多く、投獄されたこともずっと多く、鞭打《むちう》たれたことは比較できないほど多く、死ぬような目に遭ったことも度々でした。ユダヤ人から四十に一つ足りない鞭を受けたことが五度。鞭で打たれたことが三度、石を投げつけられたことが一度、難船したことが三度。一昼夜海上に漂ったこともありました。しばしば旅をし、川の難、盗賊の難、同胞からの難、異邦人からの難、町での難、荒れ野での難、海上の難、偽《にせ》の兄弟たちからの難に遭い、苦労し、骨折って、しばしば眠らずに過ごし、飢え渇き、しばしば食べずにおり、寒さに凍え、裸でいたこともありました〟
(〈コリントの信徒への手紙二〉第十一章)

であった。それもみなキリスト者としての証《あか》しを示すため、イエスの教えを広めるため……。まことに凄絶《せいぜつ》な後半生であった。

各地に少数ながらヘレニストの教団が誕生しており、イエスの教えを聞きたいと渇望していた。彼等もまたさまざまな困難に見舞われながら神の救いを待っていた。パウロは百里の道もいとわずに行って新しい教えを説く。気がかりなところへは手紙を書く。新約聖書の後半を占める十数通のパウロ書簡は（〈ローマの信徒への手紙〉から〈フィレモンへの手紙〉まで）こうした経緯で書き残されたものである。かならずしもパウロ自身の執筆とは断定できないものもあるが、そうした手紙もパウロに近い筋がパウロに擬して書いたものだろう。どの手紙も挨拶《あいさつ》の部分を除けば、激しい檄文《げきぶん》であり、パウロの神学と信仰を伝える教書である。

だが……正直なところパウロの手紙は（ほかの手紙も同様だが）なかなか読みづらい。手紙とは、そもそも送り手と受け手のあいだに共通の理解があって、それをふまえたうえで書かれるものである。意思の疏通《そつう》を一つの正円にたとえれば、手紙はその一部でしかない。扇形を示して全体を想像させるようなところがある。

パウロの当面の敵はユダヤ教の律法主義者たちだった。ヘレニストの中にも律法に愛着を持つ人は大勢いたし、パウロの布教の対象も主としてそういう人たちだった。言ってみれば、パウロはユダヤ教からキリスト教へ、メンバーの切り崩しを敢行して

いたわけである。律法を知らない私たちには、

「どうしてそんなことにばかりこだわってるの？」

と、くどく、迂遠《うえん》に響く部分もあるだろう。

引用を試みよう。

〃ところで、あなたはユダヤ人と名乗り、律法に頼り、神を誇りとし、その御心《みこころ》を知り、律法によって教えられて何をなすべきかをわきまえています。また、律法の中に、知識と真理が具体的に示されていると考え、盲人の案内者、闇《やみ》の中にいる者の光、無知な者の導き手、未熟な者の教師であると自負しています。それならば、あなたは他人には教えながら、自分には教えないのですか。「盗むな」と説きながら、盗むのですか。「姦淫《かんいん》するな」と言いながら、姦淫を行うのですか。偶像を忌《い》み嫌《きら》いながら、神殿を荒らすのですか。あなたは律法を誇りとしながら、律法を破って神を侮《あなど》っている。（中略）あなたが受けた割礼も、律法を守ればこそ意味があり、律法を破れば、それは割礼を受けていないのと同じです。だから、割礼を受けていない者が、律法の要求を実行すれば、割礼を受けていなくても、受けた者と見なされるのではないですか。そして、体に割礼を受けていなくても律法を守る者が、あなたを裁くでしょう。あなたは律法の文字を所有し、割礼を受けていながら、律法を破っているのですから。

外見上のユダヤ人がユダヤ人ではなく、また、肉に施された外見上の割礼が割礼ではありません。内面がユダヤ人である者こそユダヤ人であり、文字ではなく〝霊〟によって心に施された割礼こそ割礼なのです〟（〈ローマの信徒への手紙〉第二章）

文面から明らかなようにこの手紙の相手はユダヤ人である。ここではローマに住むユダヤ人を対象にして書いているが、パウロの布教そのものはユダヤ人以外の人を排除していたわけではない。むしろユダヤ人以外の民族にも教えを広めたかったし、事実、その試みもなされているのだが、現実的にはユダヤ教をそれなりに知っているユダヤ系の人々が布教の相手として圧倒的に多かった。

ひどく割礼にこだわっている。割礼は律法を代表する行為であり、当時、割礼さえしていればそれでよしとする気配が現実にあったからだろう。信仰を忘れた宗教の形骸《がいか》化が割礼という行為に集約されている、というのがパウロの見方であり、

「それじゃあいけない」

と説いているわけである。

〝それとも、兄弟たち、わたしは律法を知っている人々に話しているのですが、律法とは、人を生きている間だけ支配するものであることを知らないのですか。結婚した女は、夫の生存中は律法によって夫に結ばれているが、夫が死ねば、自分を夫に結び

付けていた律法から解放されるのです。従って、夫の生存中、他の男と一緒になれば、姦通の女と言われますが、夫が死ねば、この律法から自由なので、他の男と一緒になっても姦通の女とはなりません。ところで、兄弟たち、あなたがたも、キリストの体に結ばれて、律法に対しては死んだ者となっています。それは、あなたがたが、他の方、つまり、死者の中から復活させられた方のものとなり、こうして、わたしたちが神に対して実を結ぶようになるためなのです。わたしたちが肉に従って生きている間は、罪へ誘う欲情が律法によって五体の中に働き、死に至る実を結んでいました。しかし今は、わたしたちは、自分を縛っていた律法に対して死んだ者となり、律法から解放されています。その結果、文字に従う古い生き方ではなく、〝霊〟に従う新しい生き方で仕えるようになっているのです〟(〈ローマの信徒への手紙〉第七章)

パウロは律法を守ることと信仰とを分けて考えている。端的に言えば、律法なんかいくら守ってみても信仰とはなんの関係もない、という考えだ。ユダヤ教の律法学者が怒るのも無理がない。

いま引用したたとえ話の意味は明解だろうが、あえて説明を加えれば……ユダヤ教の支配した時代は、言わば女が人妻であった時期であり、イエス・キリストが現われてからは、夫が死んで結婚の掟から解放された時期のようなものである、と説いている。キリストの出現を境として、世界が変ったのである。それ以前は律法を守ることにも一定の意味があったろうが、今は文字に書かれた律法を守るのではなく、信仰という、内なる問いかけに従って生きなければならない、ということであろうか。

繁雑な引用は省略するが、パウロはさらに、イエス・キリストの出現はけっして偶然ではなく、神の計画によって実現されたこと、それが復活によって証明されたこと、その福音を世界のすみずみまで伝えるよう自分はイエスその人から命じられたこと（パウロの回心を参照）を説いている。パウロの神学は難解であり、研究者の指摘によればいくつかの論理的矛盾も含まれているらしいが、その根底にある考えは以上のようなことである、と、そう断言してもあながちまちがいではあるまい。

話は本筋からそれるが、パウロは激烈な宣教者であったにちがいない。知らない土地に赴き、

「イエス・キリストを信じない者は馬鹿《ばか》だ」

くらいの言動を示したにちがいない。ときには自分がイエスその人であるかのような、そんな居丈高な態度を採ってしまうこともあったのかもしれない。また逆に、顔をあわせたときには低姿勢だが、あとで厳しく諌《いさ》めたりすることもあっただろう。だから相手には、

「こいつ、自分を何様だと思っているんだ」

と誤解され、反感を持たれることもあったらしい。

だが、なんと言われようと、白い眼《め》で見られようと、ときには暴力によって迫害されようと、パウロは敢然と目的の地へ訪ねて行った。自分がわるく思われることなど、個人としては気にかけていなかったろう。気にかけるとすれば、それが布教にとってマイナス要因となるという、その懸念《けねん》においてだけだった。目的はただ一つ、イエス・キリストの福音を述べ伝えること。煎《せん》じ詰めればパウロ神学は、イエスが神の子であり、真の救世主《キリスト》であることを立証することであり、パウロの後半生はただそのことにのみ費されていた。


タルソス生まれのパウロが幼いときからパリサイ派の教育を受け、その熱心な信者となり、いっときは新興のキリスト教に対する迫害者となったことはすでに述べた。ダマスコの郊外でイエスの顕現に接し回心したこともすでに記した。アナニヤから洗礼を受けたのち、彼がアラビアの荒野へ赴いたのは、洗礼者ヨハネやイエス同様に、人里離れた地で沈思黙考して宗教的な信念を固めるためだったろうか。ダマスコに戻り、二、三年後にエルサレムにのぼってペテロとイエスの弟ヤコブに会ったのは、自分の宗教的体験と、重鎮たちの体験とが同一のものであるかどうか、それを見定めるためでもあったろう。

アンタキヤ教会の誕生は相当に早い時期だったらしい。ヘレニストへの布教はここが起点となっている。パウロともかかわりが深い。第一回の宣教旅行には、この教会のリーダーの一人であるバルナバが同行している。キプロス島を経て、現在のトルコ領アタリアに至り、そこから内陸に入り今日のコンヤとその周辺の町々を訪ねている。このくだりを伝える〈使徒言行録〉の記述によれば、パウロの説教はアブラハムの昔から始まってモーセによる出エジプト、サムエル、サウルに敷衍《ふえん》してダビデに到《いた》り、さらに洗礼者ヨハネの出現とイエスの誕生とその生涯《しょうがい》、復活を述べ……まあ、キリスト教小史といった趣きである。そして、イエスの営みがけっして一人の御子の偶然ではなく、イスラエル民族の長い歴史の結実であることを訴えている。パウロ神学の根源がすでにここで語られていると言ってよい。

各地で病人や体の不自由な人を癒《いや》し、洗礼を与え、信者を増やしたが、その一方で迫害を受け、殺されかかったこともあった。

西暦四九年のエルサレム使徒会議ののち、パウロは宣教について、自分の信念と方法論を固めたにちがいない。第二回の宣教旅行ではバルナバと別れ、ギリシア人の父を持つテモテを連れていく。このさい〝その地方に住むユダヤ人の手前、テモテに割礼を授けた。彼の父親がギリシア人であることを、皆が知っていたからである〟と、わざわざ〈使徒言行録〉に記しているのはおもしろい。パウロ自身は、

――割礼なんて、たいして意味がない――

と思っていたにもかかわらず、布教の対象がユダヤ系の人々である限り、それをやらないわけにいかなかったからだろう。

このときの旅は陸路を選んでアンタキヤからイコニオンに行き、イエスの霊に導かれて一気にトロイアへ入った。ここはホメロスの叙事詩で名高い、エーゲ海のトルコ側沿岸の町である。パウロはギリシア本土での布教の必要性を痛感し、行程を西へ延ばしサモトラキ島を経てフィリッポイに入った。フィリッポイはマケドニア州第一の都であり、ローマの植民都市としておおいに栄えていた。

ここで事件が起きる。女占い師がいて、おそらく彼女は悪霊の力で占いをおこなっていたのだろう。パウロがその悪霊を取り除いてやったため、もう占いができなくなってしまった。彼女の占いで儲《もう》けていた連中は納らない。パウロたちを摑《つか》まえ、

「この者たちは町を混乱させています。ローマ市民が到底受け入れられない風習を流しています」

と、役人に訴えた。パウロたちは鞭《むち》で打たれ、投獄された。ところが、夜中に地震が起きる。

奇蹟《きせき》だ!

牢獄《ろうごく》の戸がすべて開き、手を縛った鎖も切れ、足枷《あしかせ》もはずれてしまったのだから……。囚人たちはいっせいに逃げ出す。牢獄の看守は、

「こりゃ、いかん。もう駄目《だめ》だ」

職務怠慢の罪で殺されることを思い、絶望のあまり自殺を図ったが、パウロが止めた。

「心配するな。私たちはみなここにいる」

「救われるためには、どうしたらいいんでしょうか」

「イエスを信じなさい。そうすれば、あなたも家族も救われる」

この夜、看守もその家族もパウロの説教を聞き、洗礼を受けた。

パウロはローマの市民権を持つ身であった。そのことがさいわいしてここでは無事に釈放される。

このときに限らず、パウロのローマ市民権は宣教旅行の道すがら、さながら水戸黄門の印籠《いんろう》のように登場して効力を発揮するが、

——それほど効きめがあったのだろうか——

否定的な意見もないではない。

しかし、まあ、あまり目くじらを立てずに先に進もう。

さらにテッサロニーキを経て憧《あこが》れの地アテネに入った。地中海世界第一の都はすでにローマへ移っていたが、アテネはやはり文化の中心地としての暖簾《のれん》を失っていなかった。パウロはアレオパグスの会堂で説教をする機会を与えられ、喜び勇んで福音を伝えたが、あまり成功はしなかったようだ。二、三の例外を除けば、ギリシア人たちは、

「復活だって？　ま、いずれゆっくり聞かせてもらいましょ」

と、あざ笑っていたらしい。

それにもめげずパウロはさらにコリントスに行き、彼の生業であるテント作りを営みながら一年半滞在して福音を伝えた。嘲笑《ちょうしょう》や迫害を受けながらも、少しずつ信者を増やしたというのが実情だったろう。

道を返してエーゲ海を横切り、エフェソスにもしばらく滞在して布教に励む。そのあと地中海を渡ってカエサレアに着港し、いったんエルサレムに立ち寄り、アンタキヤへ帰って第二回の宣教旅行を終えている。

そして席の温まるひまもなく第三回の宣教旅行に出発する。このときもギリシアにまで足を進めているが、滞在の長かったのはエフェソスである。三年間……。エピソードを一つ紹介しておこう。

エフェソスはギリシアの女神アルテミスを信仰する町であった。多産と豊穣《ほうじょう》の守護神であり、広く小アジアの民衆の心を捕らえていた。広い信仰は経済的な誘因ともなって宗教産業ともいうべきものを発達させる。各地に散見される門前町などもその一例だろう。エフェソスではアルテミス信仰に支えられた産業が興っていたのである。

〝デメトリオという銀細工師が、アルテミスの神殿の模型を銀で造り、職人たちにかなり利益を得させていた。彼は、この職人たちや同じような仕事をしている者たちを集めて言った。「諸君、御承知のように、この仕事のお陰で、我々はもうけているのだが、諸君が見聞きしているとおり、あのパウロは『手で造ったものなどは神ではない』と言って、エフェソばかりでなくアジア州のほとんど全地域で、多くの人を説き伏せ、たぶらかしている。これでは、我々の仕事の評判が悪くなってしまうおそれがあるばかりでなく、偉大な女神アルテミスの神殿もないがしろにされ、アジア州全体、全世界があがめるこの女神の御威光さえも失われてしまうだろう〟（〈使徒言行録〉第十九章）

この煽動《せんどう》のおかげで一悶着《ひともんちゃく》が起きてしまうのだが、町の書記官が良識のある人だったので、パウロたちもなんとか難をのがれることができた。先の女占い師の場合もそうだったが、生活と宗教が深く結びついている時代にあっては、新しい教えを広めることは、多くの人々の経済的基盤にまで多大な影響を及ぼすことになる。反抗も大きかったろう。

それでもパウロは行く。

どんな困難も彼をさまたげることができなかった。ときどきイエスが現われて彼を励ましたらしい。

旅の最後はこのときもエルサレムだったが、数日後、パウロは大きな危険に身をさらされる。エルサレムのユダヤ教徒たちは、

「パウロが来ているのか。勘弁できねえ」

宣教の噂《うわさ》は聞こえていただろう。ユダヤ教徒にとっては、眼ざわりな存在だった。近親憎悪《ぞうお》のような感情もあったろう。かつてはパリサイ派の信徒であり、彼等の仲間だった。それが転向して、今はイエス・キリストを唱え、律法を無視している。ユダヤ教徒を切り崩してキリスト教に改宗させている。しかもそのエネルギーは、ただごとではない。

——憎っくき裏切り者め。殺してやる——

騒動が起き、エルサレムを統治していたローマ兵が駈《か》けつけ、とりあえずパウロを捕らえて群衆を静めた。

それからのやりとりは……見ようによってはイエスの最期《さいご》に少し似ている。ユダヤ教徒たちは「パウロを殺せ」と叫び、ローマの千人隊長、カエサレア在任中のローマ総督、ユダヤ王ヘロデス・アグリッパスまでがからんで裁判がおこなわれるが、諍《いさか》いの根本は宗教的な対立であり、ローマの法律に照らしあわせてパウロを有罪とする根拠は薄い。パウロはみずからがローマ市民であることを強調し、ローマ皇帝への上訴を敢行する。すでに身柄《みがら》はカエサレアに送られていた。そこはローマ駐屯《ちゅうとん》軍の拠点となっていた港町であり、現在は海水浴場のすぐ脇《わき》に古いローマ式水道橋の残骸《ざんがい》が高く、長く延びている。パウロは未決のまま二年間、この町の牢に繋《つな》がれ、そののちローマへ護送された。

——ローマへ行きたい——

パウロ年来の念願は思いがけない形で実現することとなった。

ところどころに寄港しながら長い月日をかけて地中海を行く船は、途中で暴風に襲われ、助かる見込みさえないように見えたが、パウロが一同を励ました。

「みなさん、心配ありません。神が守ってくださいます」

その言葉通り、船は難破しながらもマルタ島に漂着する。九死に一生を得た同船者たちは、

——この男、本当に神がついているのかもしれない——

と思ったことだろう。

マルタ島で一冬を過ごし、航海によい季節を待って出港、シラクサを経てナポリ湾に入港した。

——とうとうローマへ来た——

パウロの感慨はひとしおだったろう。

未決囚としてローマに送られたパウロであったが、ここですぐに裁判を受けた形跡はない。〝パウロは番兵を一人つけられたが、自分だけで住むことを許された〟と〈使徒言行録〉第二十八章に記されているから、裁判を待ちながらそれなりに自由な行動が許されたのではあるまいか。

ローマ帝国はすでにネロの治世に入っていた。パウロはここでも宣教に励む。この時期ペテロもローマに来ていたから、二人はあいまみえることもあっただろう。映画〈クオ・ヴァディス〉にはそんな場面も映し出されている。

やがて暴君ネロのキリスト教徒迫害が始まる。つまびらかな記録は残されていないが、西暦六四年頃、パウロはローマで捕らえられ剣で首を刎《は》ねられて殉教、波乱に満ちた生涯を閉じている。

現在のエフェソスは遺跡の町である。数千年にわたって栄えた歴史の町は、広大そのものだが、まだ全貌《ぜんぼう》が明らかにされていない。パウロの活躍にもかかわらず、その足跡を伝えるものはなにも残されていない。考古学博物館を訪ねると、胸に十数個の乳房をぶらさげたような、奇っ怪なアルテミス女神の像が立っている。乳房と見たのは、実は牛の睾丸《こうがん》で、多産と豊穣の女神をシンボライズしているのだろう。

――この町の守護神だったんだ――

と、わずかにパウロと銀細工職人が争ったエピソードを思い出すくらいのものである。

キリスト教関係の遺跡と言えば、小高い山の頂上に聖母マリアの家がある。イエスに母の老後を託された使徒ヨハネがここでマリアの老後を養ったとか。そのヨハネを偲《しの》んで六世紀に建立《こんりゅう》された聖ヨハネ教会も、今はところどころ草木の繁《しげ》る遺跡となって残っている。

エフェソスから車で一時間ほど、イズミールは、イスタンブールと並ぶトルコ屈指の港湾都市である。エーゲ海に面したホテルの屋上から眺《なが》める夕日は美しい。私はバーの片隅《かたすみ》で強烈なラキ酒を飲みながらパウロの生涯を思った。

――あれは……なんだったのかな――

パウロの生涯は、なにもかもダマスコ郊外で起きた出来事に凝縮されている。つまりイエスの顕現……。思想的転向は言うに及ばず、神学の拠《よ》りどころも、身のふりかたも、みんなあれから始まっている。

信仰を持たない私は、イエスの顕現をそのまま信ずることはできない。むしろ、

――パウロにはそれが必要だったろうな――

と、こざかしい思案が浮かんでしまう。

イエスの直弟子たちを中心とする重鎮たちが、ユダヤ教との縁を切れずにいるとき、それを越えて新しい思想を確立するためには「私自身がイエスからじかに命令を受けたのだ」と、錦《にしき》の御旗《みはた》のようなものがなくてはパウロはつらかったろう。それを主張しなければ、立場が弱くなる。たったいま〝身のふりかた〟と言ったのは、このあたりの事情についてである。

――それだけじゃないな――

とも思った。

パウロが宣教に費した厖大《ぼうだい》なエネルギーと執念を思えば、その出発点において、イエスの声を実際に聞き、イエスを実際に見なかったならば、

――あそこまではやれない――

と、そんな判断も生まれてくる。

他人を騙《だま》すことはできても、自分を騙すことはできない。少なくとも主観的にはパウロは絶対にイエスを〝見た〟のだろう。だからこそ、それを原点として彼の神学が確立できたのだろう。

形骸化したパリサイ派的宗教観に対するパウロの疑問が無意識のうちにも少しずつ胸の奥に培《つちか》われ、ある日、忽然《こつぜん》と顕在化し、文字通り眼から鱗《うろこ》が落ちるようにイエスを顕現させたのかもしれない。

いずれにせよ、イエスは論理的に神学を示してはくれなかった。その言動の意味を神学にまで帰納させたのはパウロの大きな功績だった。その第一歩はパウロにあった。

ラキ酒に酔いしれた私の頭に去来したのは、

――パウロなければキリスト教なし――

いつ、どこで聞いたか思い出せない、一条のテーゼであった。

10 黙示とエピローグ

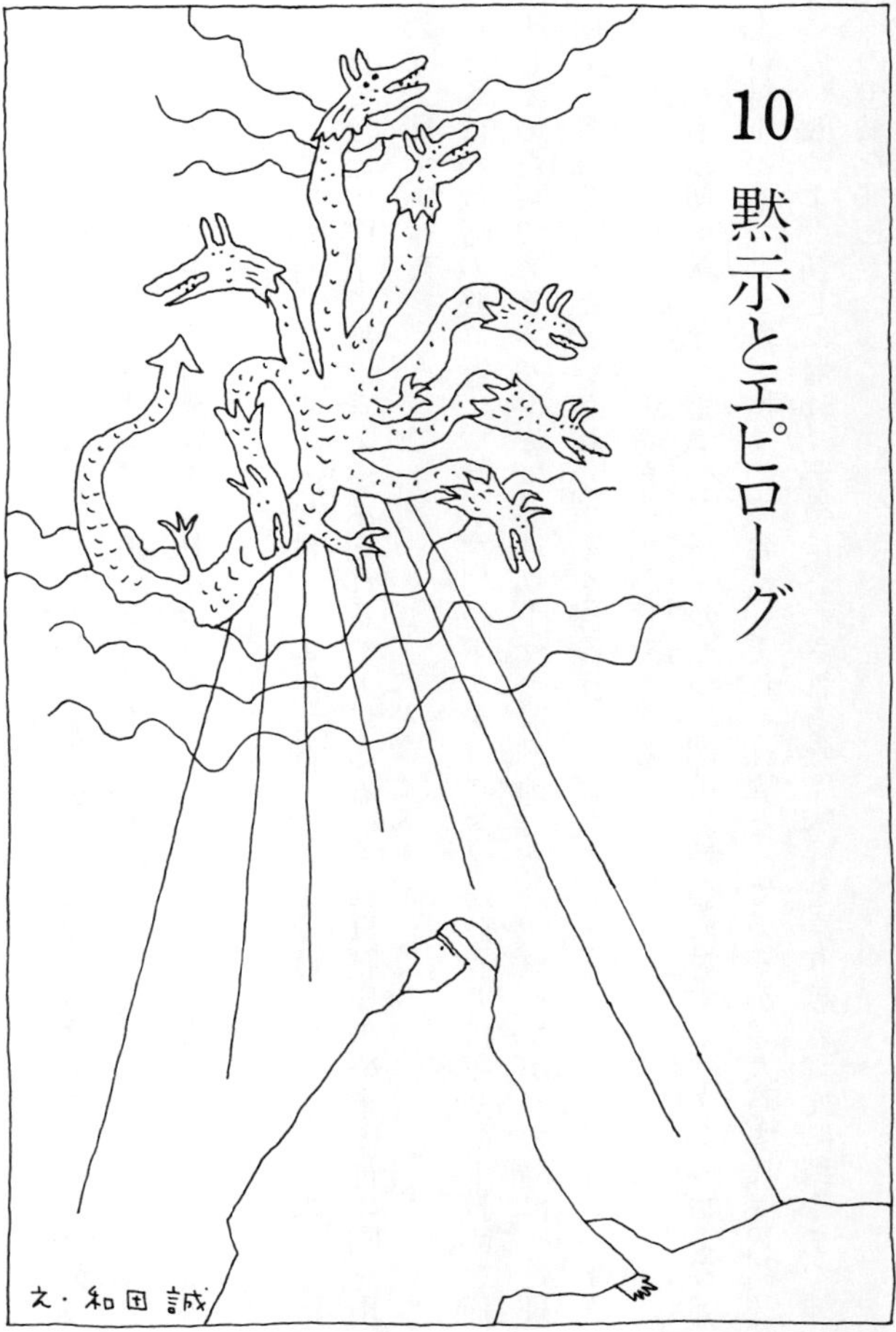

エーゲ海の東南にパトモスという小さな島がある。地図で見つけだすのもむつかしいほどの小島である。ギリシアの領土だが、すぐ東側にトルコ領の小アジア半島が迫っている。その間、直線距離を計れば七十キロ足らず。歴史的にも小アジアとの関係が深かった。

〈ヨハネの黙示録〉の著者ヨハネは、この島で神の黙示を受け、幻を見た。黙示とは、言葉ではない作用で神の考えが示されることである。それは歴史の終末と神の国を現わす幻影であった。

ときは一世紀の終り近く、ローマ皇帝ドミティアヌスがしきりにキリスト教徒を弾圧していた頃《ころ》である。パトモス島はローマの流刑《るけい》地であり、ヨハネがこの島にいた理由も、多分そのこととかかわりがあったろう。イエスの直弟子の一人、使徒ヨハネと混同されやすいが、別人と考える説が有力である。

〈ヨハネの黙示録〉は、まず小アジアの七つの都市の教会に対する檄文《げきぶん》から始まる。七は神聖な数であった。檄文の内容は、それぞれ異なっているが、大略すれば、「悔い改めよ。初心に帰れ。邪教に惑わされるな。困難を乗り越え、死に到《いた》るまで神への忠誠を守れ」

である。ヨハネが言うのではなく、聖霊がヨハネの中に入り込んで言わせているのであり、そのあたりに黙示録の秘密が潜んでいる。

が、それはともかく、ある日、ヨハネが天を仰ぎ見ていると、天の一郭に門が開かれ、ラッパが響くように声が聞こえた。

「ここへあがって来い。こののちに起きることをあなたに示そう」

たちまち体が聖霊に満たされ、イメージが溢《あふ》れる。幻視のような作用だった。

天の玉座が映り、玉座に神がすわっていた。神は光であった。碧玉《へきぎょく》のように、赤瑪《あかめ》瑙《のう》のように輝き、エメラルドの虹《にじ》が懸っていた。

玉座の周辺には二十四人の長老が金の冠、白い衣をつけてすわり、玉座から、ガラガラ、ピカピカ、

雷が鳴り、稲妻が走る。玉座のまん前には七つの霊がともし火となって燃えていた。

そのさらに手前には、水晶のような海が広がり、玉座を距《へだ》てていた。

四つの生き物がうごめいている。

第一は獅子《しし》に似て、前にもうしろにも体中に眼《め》がある。第二は雄牛のよう。第三は人間の顔を持ち、第四は鷲《わし》のような姿である。どれもみな六つの翼を持ち、たくさんの眼を持ち、昼も夜も神を讃美《さんび》し続けている。

「聖なるかな、聖なるかな、全能者である神よ、主よ、あって、あり続けるかたよ」

　二十四人の長老も冠を玉座の前に投げ置いて礼拝する。

「主よ、神よ、栄光に包まれたかたよ、あなたは万物を造られ、御心によって万物は存在しているのです」

　玉座の右手に巻物があり、七つの封印で封じられている。天使が叫ぶ。

「だれかこの巻物の封を開くものはいないか」

　すると、長老が答えて言う。

「見よ。ユダ族から出た獅子、ダビデの子孫が勝利を得て、七つの封印を開く」

　小羊が見えた。

　小羊にも七つの眼がある。

　長老たちが小羊の前にひれ伏し、大勢の天使たちの歌声が聞こえる中で、小羊が封印を開き始める。小羊はイエスを表わしているらしい。

　第一の封印が開かれると、白い馬が現われ、弓を持つ者が乗っている。冠を与えられ、さらなる勝利を得ようとして走り去っていく。

　第二の封印が開かれると、赤い馬が現われ、乗っている者には、地上の平和を奪って殺しあいをさせる力が与えられた。第三の封印が開かれると、黒い馬が現われ、手には秤《はかり》を持っている。第四は青白い馬。これらはいずれも当時の世情を……ローマの内乱や飢饉《ききん》や疫病《えきびょう》の流行などを表わしているらしい。

第五の封印が開かれると、神の証《あか》しを守って死んだ殉教者たちが現われ、

「神の裁きはいつおこなわれるのですか」

と問いかける。

一人一人に白い衣が与えられ、

「今、しばらく」

と、おごそかな答が示される。殉教者や罪人の数が一定のところまで達しないと、神の裁きは現われないと、そんな考え方が当時はあったのである。

小羊が第六の封印を開くと、太陽は暗くなり、月は血のように赤く染まって、天の星は地に落ちる。山も島もなくなり、すべての人が穴に隠れて、

「小羊の怒りから私たちを守ってください」

と訴える。

神の怒りと、それにおびえる人たちの姿を示しているのだろう。

天使が現われ、人々の額に刻印を押す。

「ユダ族から一万二千人、ルベン族から一万二千人、ガド族から一万二千人……」

イスラエルの十二部族から、それぞれ一万二千人が選ばれて刻印が押され、これが死をまぬがれる人たちとなる。

殉教者が祝福を受けたあと、第七の封印が開かれる。

半時間ほど沈黙に包まれ、やがて天使たちが金の香炉を持って現われる。馥郁《ふくいく》たる香りが溢れ、

「えいっ」

天使が香炉を地上へ投げつけると、雷、稲妻、地震が起きた。

一のラッパが鳴る。

血を混えた雹《ひょう》が降り、地上の三分の一が焼け、木々の三分の一が燃える。

二のラッパが鳴ると、海の三分の一が血の色を帯び、海に住む生き物の三分の一が死に、海に浮かぶ三分の一の船が沈んだ。

三のラッパが鳴ると、三分の一の川の水が苦くなり、四のラッパが鳴ると、昼は三分の一の光を失う。五のラッパが鳴ると、いなごの群が現われる。このいなごは、頭に金の冠に似たものをつけ、顔は人間、髪は長く、歯は獅子の歯みたい、胸には鉄の胸当てのようなものをつけ、羽音は戦車の響きに似ている。いなごは針を持ちこれに刺されると、五カ月間苦しむが、けっして死ぬことはできない。神の刻印を持たない

者だけがこれに刺された。

六のラッパが鳴ると、四人の天使が人間の三分の一を殺すために遣わされる。集められた騎兵は二億。馬の頭は獅子に似て、口からは火と硫黄を吹く。馬の尾は蛇《へび》のようで、これが噛《か》みつく。

三分の一という数は、三分の二は残しておこうという神の意志を表わしている。しかし、殺されずに残った人間たちは、なおも悔い改めず、偶像を拝み続ける。

七のラッパはいつ鳴るのだろうか。

たくましい天使が一人、雲の衣を身にまとい、天から降《くだ》って来るのが見えた。頭には虹をいただき、顔は太陽となって輝き、二本の脚は火柱のよう。右足で海を、左足で大地を踏み、獅子がほえるように叫ぶ。七つの雷が言葉となって響いたが、その中身については、

「書き留めてはいけない」

と、天使が命じたから、ここに記すわけにいかない。

天使が右手をあげ、神に誓った。

「もはや時はない。第七のラッパが鳴るとき、神の御心が成就《じょうじゅ》する。それは神がかねてより預言者たちに告げられた通りのものである」

天使の手には小さな巻物があった。

「それをください」

ヨハネが告げると、天使が答える。

「受け取って食べるがよい。腹には苦いが、口には甘いだろう」

なるほど、その巻物を食べると、口には蜜《みつ》のように甘いが、腹は苦くてたまらない。また答が聞こえた。

「あなたは、多くの民族や王たちについて、ふたたび預言をしなければなるまい」

と……。さらに声が続く。

「神の神殿と祭壇とを計り、また、そこで礼拝している者の数を数えよ。神殿の外はそのままにしておけ。そこは異邦人に与えられたものだから。彼等は四十二カ月のあいだ、聖なる都を踏みにじるだろう。私は二人の預言者に粗布をまとわせ、千二百六十日の間、預言をさせよう。二人が証しを終えると、一匹の獣が底なしの淵《ふち》から上って来て、二人を殺してしまう。二人は十字架に懸けられ、人々は、これを見て喜ぶ。三日半たって命の息が神から出て二人に入る。二人が立ちあがるのを見て人々はおおいに恐れた。二人は天に召され、そのときに大地震が起こり、都の十分の一が崩れ、七千人が死に、残った人々は恐れを抱いて神の栄光をたたえた」と。

七のラッパが鳴り響いた。二十四人の長老がひれ伏して神を讃美する。

「あって、あり続けるかた、全能者である神よ、主よ、あなたの大いなる統治に感謝いたします。死者の裁かれるときが来ました。御名をおそれる者には報いをお与えになり、地を滅ぼす者を滅ぼされるときが来ました」

天の神殿が開かれ、神との契約の箱が見えた。

ガラガラ、ピカピカ、パラパラパラ、グラグラッ……。

雷、稲妻、雹、地震。いよいよ最後のときが来たのかもしれない。

天使が告げた二人の預言者はモーセとエリヤ、あるいはペテロとパウロ。後者であれば、底なしの淵から上って来た獣はローマ皇帝ネロということになるのだろうか。寓意《ぐうい》に富んでいるから、はっきりと断定できないのが黙示というものの特徴である。さまざまな解釈ができる。ずるいと言えば少しずるい。

〈ヨハネの黙示録〉は第十二章から、いささか唐突に新しい幻へと移っていく。前の話はどうなったのか。私たちの夢がなんの脈絡もなくべつなトピックスへと変っていくのに少し似ている。

しかし、とても鮮明な幻である。現代人はむしろテレビ・ゲームを想像するかもしれない。内容もそれに少し似ている。

〝また、天に大きなしるしが現れた。一人の女が身に太陽をまとい、月を足の下にし、頭には十二の星の冠をかぶっていた。女は身ごもっていたが、子を産む痛みと苦しみのため叫んでいた。また、もう一つのしるしが天に現れた。見よ、火のように赤い大きな竜《りゅう》である。これには七つの頭と十本の角があって、その頭に七つの冠をかぶっていた。竜の尾は、天の星の三分の一を掃き寄せて、地上に投げつけた。そして、竜は子を産もうとしている女の前に立ちはだかり、産んだら、その子を食べてしまおうとしていた。女は男の子を産んだ。この子は、鉄の杖《つえ》ですべての国民を治めることになっていた。子は神のもとへ、その玉座へ引き上げられた。女は荒れ野へ逃げ込んだ。そこには、この女が千二百六十日の間養われるように、神の用意された場所があった〟(第十二章)

と、これを読んで、

——なんだか漫画みたいですね——

などと言ってはいけない。昔の人は地上の森羅万象《しんらばんしょう》を怪物たちの跳梁《ちょうりょう》に託して考える癖があったのだから……。引用文の中の女はキリスト教会を表わし、救世主を生もうとして苦しみ、そして、それを生む。子は神のもとへ引きあげられたが、キリスト教会は荒野をさまよう。竜はもちろんそれを迫害する勢力であり、この先は天を追われて地上の戦いとなる。黙示には時間の観念が薄い。竜は悪魔であり、ユダヤ人を迫害したバビロンの王にもなるし、キリスト教徒を迫害したローマ皇帝にもなる。場合によっては豊臣秀吉にもなるのかもしれない。

地上に降りた竜は、男の子を生んだ女を飲み込もうとするが、女には鷲の翼が与えられているから、そう簡単には摑《つか》まらない。神の教えを守り通している者たちも加勢する。これは殉教者たちであろうか。

このとき海から一匹の獣があがって来た。十本の角に七つの頭、豹《ひょう》に似ているが、熊《くま》の足、獅子の口、頭には神を冒瀆《ぼうとく》する言葉が刻まれていた。

子どもの頃、映画を見に行くと、

「あれ、いいもん?」

と、私はすぐに母に聞いたりしたものだけれど、〈ヨハネの黙示録〉を読んでいると、やっぱり、この質問がしたくなる。海から来た獣は、その風体《ふうてい》から判断して、いいもんのはずはなく、竜が呼び寄せたわるいもんである。この獣は四十二カ月間を限って神を冒瀆し、聖なる者たちと戦って勝ち、あらゆる国民を支配する力が与えられている。四十二という数には、さほど強い寓意はないらしい。とにかくローマ皇帝のような暴君が現われるが、その猛威も限られたものだから、聖なる者たちは忍耐と信仰を持ち続けなければなるまい。

さらにまた新しい獣が地中から現われ、これは小羊のように二本の角をつけている。

——小羊なら、いいもんかな——

そう思いたくなるけれど、残念でした。小羊は、海から来た獣の仲間らしく、その獣を助け、偶像を作って、それを拝むことを人々に命ずるにせ預言者だったのである。獣は人々に刻印を押し、その刻印は六百六十六を示している。

——さあ、わからない——

古来、学説の分かれるところだが、さまざまな謎《なぞ》解きがおこなわれ、ネロ、カリギュラ、ドミティアヌスなど、キリスト教徒を迫害したローマ皇帝を表わすとか、あるいは完全数七百七十七より一位劣る数を指し、神には劣ることを示しているという説もある。

そのとき、シオンの丘に小羊が立っているのが見えた。そのまわりで十四万四千人の穢《けが》れない者たちが新しい歌を歌っている。

今度は、いいもんである。

天使がつぎつぎに空を飛び、福音を伝える。

「悪《あ》しき国も、偶像を拝む者たちも滅びた。悔い改めよ。神の裁きは近い」と。

さらにまた白い雲が現われ、金の冠をかぶったかたが鋭い鎌《かま》を握っている。天使が叫ぶ。

「鎌を入れて刈り取ってください。地上の穀物は実ってます」

穀物の刈り入れが終ると、つぎの天使が現われ、今度は葡萄《ぶどう》の刈り入れである。鎌が地上に投げられ、地上の葡萄を刈り取る。葡萄は神の怒りの桶《おけ》に入れられ、都の外で踏まれた。血が流れる。血が溢れる。洪水《こうずい》のように広がって千六百スタディオンを満たした。ざっと三百キロ……。イスラエル全土を表わし、神の鎌が入って、悪しきものが刈り取られることを意味している。

神殿の扉《とびら》が開いて、七人の天使が現われた。天使たちは七つの災いの鉢《はち》を手渡され、その中身を地上に注いだ。

第一の天使が注ぐと、獣の刻印を押された人間たちに、また獣の像を礼拝する者たちに悪性の腫《は》れものができた。第二の天使が注ぐと海は死人の血と化し、海の生き物がすべて死んでしまった。第三の天使が注ぐと川が血に変り、第四の天使が太陽に中身を注ぐと、太陽は神を冒瀆する人を焼き殺した。第五の天使が獣の玉座に注ぐと、獣の国は闇《やみ》で覆《おお》われ、人々は苦しみ悶《もだ》えた。第六の天使がユーフラテス川に注ぐと、水が涸《か》れ、日の出る方角から王たちの道ができた。またにせ預言者の口から蛙《かえる》のような穢れた霊が三つ現われた。穢れた霊は全世界の王たちのところへ行って、王たちをハルマゲドンと呼ばれるところへ集めた。神と戦うためである。イスラエルの、カルメル山の麓《ふもと》のメギド地方がここに当たると言われている。

第七の天使が注ぐと、玉座から、

「事は成就した」

と、大声が聞こえ、稲妻、雷、地震……地上の大きな都が三つに引き裂かれた。これはローマを意図しているだろう。

大淫婦《だいいんぷ》が赤い獣にまたがって現われた。

この獣も七つの頭に十本の角をつけ、全身にくまなく神を冒瀆する名が記されていた。大淫婦のほうは〝地上の王たちは、この女と淫《みだ》らなことをし、地上に住む人々は、この女の淫らなおこないの葡萄酒に酔ってしまった〟と言われる女で、いまわしい宝玉で身を飾り、額には〝大バビロン、淫らな女たちや地上のいまわしい者たちの母〟と、秘められた名が刻まれている。諸悪の根源ですね。大バビロンと記されているが、具体的にはローマ帝国のイメージであろうか。

天使の説明によると、

〝七つの頭とは、この女が座っている七つの丘のことである。そして、ここに七人の王がいる。五人は既に倒れたが、一人は今王の位についている。他の一人は、まだ現れていないが、この王が現れても、位にとどまるのはごく短い期間だけである。(中略)また、あなたが見た十本の角は、十人の王である。彼らはまだ国を治めていないが、ひとときの間、獣と共に王の権威を受けるであろう。この者どもは、心を一つにしており、自分たちの力と権威を獣にゆだねる。この者どもは小羊と戦うが、小羊は主の主、王の王だから、彼らに打ち勝つ。小羊と共にいる者、召された者、選ばれた者、忠実な者たちもまた、勝利を収める〟(第十七章)

なのである。

七人の王と十人の王については史実に照らしあわせて、さまざまな王が当てられているが、省略しよう。しかし、所詮《しょせん》、神の小羊にはかなわない。大バビロンは倒れ、そこはいまわしい者たちの巣窟《そうくつ》と化し、彼女に与《くみ》した者たちは……淫らな王や商人たちのことだが、彼女の滅亡を悲しむ。船乗りたちも彼女が焼かれる煙を見て驚くが、やがて心ある者は気がつく。

「天よ。この都ゆえに喜べ。聖なる者たち、使徒たち、預言者たちよ、喜べ。神は、あなたたちのために、この都を裁かれたのである」

ハレルヤの声が溢《あふ》れる。二十四人の長老と四つの生き物がひれ伏して神をあがめる。ハレルヤとはヘブライ語で〝ヤー（神）を讃美《さんび》せよ〟の意味である。

小羊の婚礼が近づいているらしい。

天が開かれて、白い馬が現われた。馬にまたがっているのは〝真実〟と呼ばれるものである。正義をもって戦い、正義をもって裁く〝神の言葉〟であった。天の軍勢が同じく白い馬に乗って従っている。

また、天使が一人、太陽の中に立っている。空高く飛んでいる鳥に向かって叫んでいる。

「さあ、神の大宴会に集まっておいで。権力者の肉を食べよ」

いまわしい者たちが白馬の軍勢と戦ったが、王も獣もにせ預言者も、獣の刻印を押された者も獣の像を拝んだ者もみんな捕らえられ、火の池に投げ込まれ、剣で刺されて鳥の餌《えさ》となった。

さらにまた、もう一人の天使が、底なしの淵《ふち》の鍵《かぎ》と大きな鎖を持って現われ、悪魔である竜を捕らえて縛り、底なしの淵に投げ入れ鍵をかけ、千年の封印を施した。

イエスの証《あか》しと神の言葉のために殉教した人々、あるいは獣の像を拝まず獣の刻印を受けなかった人々のために、天に座が用意され、彼等は生き返ってキリストとともに千年のあいだ統治をした。これが第一の復活である。これにあずかる者は聖なる者たちで、その他の死者は千年のあいだ生き返ることはない。

この千年が経過すると、悪魔である竜は解き放されるが、竜は性懲《しょうこ》りもなく諸国の民を集めて聖なる者たちを攻めようとする。天から火が下って諸国の民は焼き尽され、悪魔はふたたび火と硫黄の池に投げ込まれる。そこは獣とにせ預言者が永遠に責めさいなまれているところだった。

玉座にすわっておられるかたの姿が見えた。命の書が開かれた。死者たちはみんなそれぞれのおこないに応じ、命の書によって裁かれる。名前がそこに記されていない者は、火の池に投げ込まれた。これが第二の死である。

七つの鉢を持った七人の天使の中の一人が近づいて来て、

「さあ、ここへ来なさい。小羊の妻である花嫁を見せてあげよう」

と言う。

聖なる都エルサレムが神のもとを離れて地上に降りて来るのが見えた。小羊の花嫁は神の都であった。

栄光に輝く都……。高い城壁と十二の門に囲まれ、十二人の天使、十二の部族、十二人の使徒名が刻んであった。黄金に輝き、碧玉《へきぎょく》、サファイア、瑪瑙《めのう》、エメラルド、ありとあらゆる宝石で飾られていた。

　この都には神殿がない。主と小羊が神殿であった。太陽も月もなく、神の栄光がまばゆく周囲を照らしていた。人々は栄光と誉れを携えて、この都にやって来る。都の門は一日中開いているが、穢れた者、いまわしいことや偽りをおこなう者はだれ一人として入れない。小羊の命の書に名が記されている者だけがここに入る。

　水晶のように輝く川が流れ、川岸には命の木があって、年に十二回実を結ぶ。これは万病を治す特効薬。呪《のろ》われるものは、なにひとつとしてなく、神と小羊が君臨し、人々は仰ぎ見て礼拝する。世々限りなくとこしえの平和が続く。

　天使の声が厳然とヨハネの耳もとに響く。

「これらはみな真実である。神が天使を送って、間もなく起きることをまのあたりに示したのである。見よ、私はすぐに来る。この預言を守る者はさいわいである」

　続いて聞こえたのは、小羊であるイエス・キリストその人の声であろうか。

「預言の言葉を秘密にしておいてはいけない。時が迫っている。不正をおこなう者には不正をおこなわせ、穢れる者は穢れるままにしておけ。正しい者には正しいことをおこなわせ、聖なる者には聖なる者とならせよ。見よ、私はすぐに来る。私は報いを携えて来て、それぞれのおこないに応じて報いる。私はアルファであり、オメガである。最初の者にして最後の者である。自分の衣を洗い清める者はさいわいである。彼等は命の木について権利を与えられ、都へ入ることができる。これに反して、犬のような者、魔術を使う者、淫らなことをおこなう者、人を殺す者、偶像を拝む者、偽りを好み、おこなう者は、けっして都の門をくぐれない。私イエスは使いを遣わして諸教会に以上のことを伝えた。私はダビデの子孫、輝く明けの明星である」

ヨハネの幻は消え、ヨハネ自身が自分の描いた幻について、それが神の黙示であることをほのめかす。そして新約聖書の最後の言葉は、

〝アーメン、主イエスよ、来てください。主イエスの恵みが、すべての者と共にあるように〟

である。

微視的にはローマ皇帝の迫害を描き、巨視的にはキリスト教徒に加えられるさまざまな圧迫を時空を超えて想像し、それを怪物に模し、怪物と天使たちのすさまじい戦いのすえ、かならず神の都の到来することを黙示によって知って記したもの……それが〈ヨハネの黙示録〉ということになるだろう。

新約聖書は一見してわかるように、はじめから一冊の本として書かれたものではな

い。二十七巻がバラバラに記され、のちに編纂《へんさん》されてキリスト教会の正典となったものである。

イエスの死後二十年ほどたった西暦五〇年代に、まずパウロの手紙がつぎつぎに書かれ、六〇年代に〈マルコによる福音書〉、八〇年代に〈マタイによる福音書〉〈ルカによる福音書〉が書かれている。〈ヨハネの黙示録〉〈使徒言行録〉〈ヨハネによる福音書〉は、九〇年代であろうか。二世紀の初頭までにすべてが書き終えられている。初期のキリスト教会は旧約聖書を部分的に正典として扱いながら、これらのものを加えて福音を伝えていた。取捨選択がほどこされ、現在の新約聖書が形を整えたのが二世紀の末、そして正典として二十七巻が正式に認められたのは、西暦三九七年カルタゴの宗教会議においてだった。世界的なベストセラーの誕生である。原語はギリシア語だったろうが、五世紀の初めにヒエロニムスという学者が長い苦難の日時をかけてラテン語訳を編集完成した。ウルガタ（一般的なもの、の意）と呼ばれる聖書であり、その名の通り正典として後世に大きな影響を与えた。隠者のような学究生活の中で、ヒエロニムスは、忍び込んで来た獅子の足から刺《とげ》を抜いてやったことがあったらしい。その獅子がヒエロニムスを慕い、一緒に暮らすようになったとか。絵画の中に聖人らしい男と獅子が睦じく描かれていれば、この偉大な学者の姿と考えてよいだろう。べストセラーの成立までには多くの人の心血が注がれている。

私が新約聖書を通読したのは(ところどころ読み飛ばした部分もあったけれど)二十代の前半、肺結核にかかり、療養生活を送っているときだった。

ミッション・スクール出身のガール・フレンドが見舞いに来て一冊置いて帰った。

——えらいものを預けられちゃったなあ——

しかし、私は彼女の歓心をかいたくて、ページを開いた。つぎに見舞いに来てくれたときに、少しはその話をしなければまずかろう。動機が不純である。それに、休学中とはいえフランス文学科に籍を置いていたので、

——ちょっとは読んでおいたほうがいいかな——

と、そんな気持ちもなくはなかった。

毎日二、三ページずつ読んだ。療養生活でもしなかったら、けっして読むことはなかっただろう。

そのときの本はどこでどう紛失したのか、見当たらない。たしか黒い表紙の小さな本だった。記憶にまちがいがなければ、文語文で書かれていたと思う。聖書の中のいくつかのフレーズについて、私の一番古い記憶は、文語文で残っている。だとすれば、

あのときの記憶以外には考えにくい。

いま手元にある古い聖書は明和書院発行の昭和二十三年版だが、黄ばんだページを開いてひときわ格調の高いくだりを引用してみると、

〝この故《ゆゑ》に我なんぢらに告ぐ、何を食《くら》ひ、何を飲まんと生命《いのち》のことを思ひ煩《わずら》ひ、何を著《き》んと體《からだ》のことを思ひ煩ふな。生命は糧《かて》にまさり、體は衣に勝るならずや。空の鳥を見よ、播《ま》かず、刈らず、倉に収めず、然《しか》るに汝《なんぢ》らの天の父は、これを養ひたまふ。汝らは之《これ》よりも遥《はるか》に優るる者ならずや。汝らの中《うち》たれか思ひ煩ひて身の長《たけ》一尺を加へ得んや。又なにゆゑ衣のことを思ひ煩ふや。野の百合《ゆり》は如何《いか》にして育つかを思へ、勞せず、紡がざるなり。されど我なんぢらに告ぐ、榮華を極めたるソロモンだに、その服装《よそほひ》この花の一つにも及《し》かざりき。今日ありて明日爐《ろ》に投げ入れらるる野の草をも、神はかく装ひ給へば、まして汝らをや、ああ信仰うすき者よ。さらば何を食ひ、何を飲み、何を著んとて思ひ煩ふな。是みな異邦人の切に求むる所なり。汝らの天の父は、凡《すべ》てこれらの物の汝らに必要なるを知り給ふなり。まづ神の國と神の義とを求めよ、さらば凡てこれらの物は汝らに加へらるべし。この故に明日のことを思ひ煩ふな、明日は明日みづから思ひ煩はん。一日の苦勞は一日にて足れり〟

と、力強く響く。口語訳の必要性は充分に認めるけれど、古い訳文の持つ厳粛さは

宗教の本質にかかわっているような気がしてならない。

現代の口語訳については(このエッセイはもっぱら新共同訳に拠《よ》っているが)正直なところ、

――もう少し美しい文章にならないかなあ――

と何度か思った。魂をゆさぶるような、おごそかな気配を欠いている。わかりやすいのはわるいことではないが、文章としての美しさもあなどってはなるまい。とはいえ、聖書の翻訳は、なまやさしい作業ではない。訳すということは、あるものを選び、あるものを捨てることである。右のものを左へ移すわけではない。少なからず解釈を含んでいる。

話は聖書から離れるけれど〝彼はよいLIFEを送った〟という文章で、このLIFEを、生活と訳すか、生涯《しょうがい》と訳すか、それは訳者の選択である。よい生活と訳せば、物質的に豊かな生活を想像する。快適な住居、小ぎれいな服装、おいしい食べ物……。少なくともそのイメージと無縁ではあるまい。よい生涯となると、たとえ物質的に恵まれなくても、トータルとして生き甲斐《いがい》の感じられる一生をまっとうした、というニュアンスが濃くなる。LIFEひとつの訳でこれだけちがう。まして、それが聖書のようなものとなると、一語一行の翻訳がすべて解釈となってしまう。異義が生じ、妥協が生まれ、どっちつかずの表現を選んだりする。力強さを欠き、意味も曖昧《あいまい》になりかねない。ギリシア語からラテン語を経て今日の日本語の口語訳にまでたどりついた聖書は、いくつもの解釈の網を通過してきたわけであり、

——もっと美しいといいんだが——

という希望は、望蜀《ぼうしょく》の思いなのかもしれない。

このエッセイは、〈旧約聖書を知っていますか〉の姉妹篇とも言うべき試みである。欧米の文化に触れるとき、聖書の知識は欠かせない。美術館一つをめぐるときでさえ、

——この絵は聖書のことらしいけど、どういう背景なのかな——

と、素朴《そぼく》な疑問を抱いてしまう。

演劇も映画も、ときには音楽でさえ聖書の知識がなければ理解できないものがある。そんな不自由さを少しでも軽減してくれる読み物はないものだろうか……私が二つのエッセイを書いた動機はこれに尽きている。自分が知りたいことを書く、これは概説書をあらわす基本的な姿勢といってよいだろう。

くり返して言うことだが、私は信仰を持たない。だから二つのエッセイを執筆するに当たって、信仰の問題にはできるだけ触れず、知識の提供をのみ心がけた。

とはいえ聖書は言うまでもなく信仰の書である。聖書を扱いながら信仰の問題を避けるというのは、根源的な矛盾をはらんでいる。旧約聖書のほうはイスラエルの建国史と読める部分もあるから、まだしもやりようがあるけれど、新約聖書は徹頭徹尾信仰と結びついている。私としては、信仰を持つかたがたの気持ちをことさらに刺激したくはなかったが、現実には、逆撫《さかな》でにした部分もあるだろう。

——どうしたものかな——

執筆を断念しかけたときも、ないではなかった。結果については読者諸賢の判断を俟《ま》つよりほかにない。

ただ、ここ十年ばかり、かなり多くの時間を聖書とその周辺の考察に費した。イスラエル、イタリア、トルコへも赴いた。おかげで、

——聖書とはどういう本なのか。イエスはどういう存在だったのか——

私なりに理解の深まった部分もけっして小さくない。

聖書は信仰から入って読むべきものだろうが、私にはその道は適さなかった。知識から入るよりほかになかった。それが長年培《つちか》った私の方法論なのだから……。

いつか私も信仰を持つ日があるのかもしれない。そのときはきっとイエスの教えをたどるだろう。知識から信仰へ、そんな道筋もないではあるまい。

本書の執筆にあたっては数えきれないほど多くの文献から、数えきれないほど多くの示唆《しさ》をいただいた。軽い読み物という、このエッセイの性質上、文献の一覧は省略させていただくが、感謝の気持ちは、まことに、まことに深く、果てしない。研究者のお名前を並べることは、かえって失礼に当たるかもしれない、と、そんな懸念《けねん》もあってのことである。お許しいただきたい。ありがとうございました。そして、もう一つ、私の妻は信仰を持つ者であり、プロテスタントの洗礼を受けている。妻からの助言はいつもに増して大きいものであった。私事ではあるが、記して感謝を表したいと思う。この粗雑なエッセイが、私同様聖書について知識の乏しい人たちに、なにほどかの示唆となってくれることを強く、強く、願っている。そのことを記して筆をおこう。

解説

大塚野百合《おおつかのゆり》

阿刀田高氏に初めてお会いしたのは、一九九五年十二月二十四日午後一時四十五分ごろ、所は私が属している世田谷の教会の玄関先でした。二時からのクリスマス・イヴ礼拝に出席されるために、いつも若々しい慶子夫人とご一緒に来られたのでした。当時私は、恵泉女学園大学で英語・英文学を教えるかたわら、朝日カルチャー・センターでも英語聖書のクラスを持っており、夫人とはそこでお知り合いになりました。阿刀田さんからはすでに『旧約聖書を知っていますか』と『新約聖書を知っていますか』のご著書を送っていただき、お礼状をだしましたところ、丁寧なお返事もいただいておりました。

テレビで数回拝見して、お人柄《ひとがら》を想像していましたが、お手紙には、それ以上の温かさが溢《あふ》れています。いつかお目にかかりたいと願っていました。その数日前に慶子夫人から電話があり、ご主人の時間が空いていたら、イヴ礼拝におそろいでおいでになるというのです。イヴのことですから、阿刀田さんは作家仲間と銀座かどこかで飲む約束でもおありだろうから、うちの教会には……と半信半疑でしたので、珍客を小さな教会にお迎えして牧師や教会員一同感激しました。

イヴ礼拝では、信徒の私が説教することになっていたので、O・ヘンリの「賢者の贈り物」という短編にもとづいて『最大のプレゼント』というテーマで話したのです。ところが阿刀田さんは、この作家を愛好し、熟知しておられることを礼拝後の座談で伺い、釈迦《しゃか》に説法と恥じ入ったのですが、「賢者の贈り物」というタイトルで短編を書いておられることも最近発見して、またもや冷汗三斗の思いです。

阿刀田さんは、珍しいほど柔和な笑みをうかべている人です。鋭い洞察力《どうさつりょく》で人間性に潜んでいる無気味さをあばくブラック・ユーモアの作家とは思えない温かさがあふれています。座談の名手で、一時間半があっという間にたちました。今をときめく作家という気負いがまったくなく、真実味があふれるお人柄です。

実は阿刀田さんは、その十二月二十四日付の朝日新聞連載中の「夜の風見鶏《かざみどり》」に「賛美歌の季節」というエッセイを書き、そこに私が出版したばかりの『賛美歌・聖歌ものがたり』（創元社）を紹介してくださったのです。事前に夫人から知らされていた私は、その朝、走って新聞を取りに行きました。エッセイは、私がその本を差し上げたとき、便箋《びんせん》四枚に感想を書いて送ってくださったものを取り上げていらっしゃいました。

「月なきみ空に、きらめく光」という唱歌を若いとき好んでいたが、それが讃美歌《さんびか》三一二番「いつくしみ深き」であったことを後に知った、と述べ、この讃美歌について私がカルヴァンというスイスの宗教改革者の言葉を引用したことに共感を持っていると書かれていました。

多忙な作家からの長いお手紙に、私は大感激、創元社の編集者はびっくり仰天でした。なんと優しい方か、その並はずれた優しさに、この人の文学を作りだす秘密が隠されているのだな——と感じ入りました。そして、モーツァルトの人柄の特徴は、その「度をこした優しさ」と「人の良さ」にあると彼の妻が手紙に書いているという話を思いだしました（田辺秀樹「モーツァルトの性格について」『モーツァルト全集第5巻・小学館』）。そう言えば、阿刀田さんの作品に『優しい関係』という連作短編集があり、これはＮＨＫテレビでドラマ化され好評を博したとか。なにかお人柄と関係がありそうですね。

今度『新約聖書を知っていますか』の解説を書くについて、阿刀田さんのさまざまな作品や他の方々の解説を読んでみて、この人の文学が日本の大衆文学の歴史においてユニークであり、新しい流れを作っていることを知りました。『食べられた男』（講談社文庫）の解説で金田浩一呂氏は、阿刀田さんの作品は「日本の大衆文学史……の流れを微妙に変えたのではなかろうか」と評し、「現実と非現実のはざまを自由に往来してみせる作者の手口」のすばらしさに感嘆するとともに、「いかに生くべきかという大命題もたっぷり含まれている」と述べています。ブラック・ユーモアをもって読者をたのしませるエンターテインメント的性格と、人間性をするどく洞察して「いかに生きるべきか」を読者に考えさせる人生論的性格を兼ねそなえる大衆文学が、阿刀田さんによって創《つく》られたというのです。国際的にも高く評価されて、英訳された作品もいくつかあります。

そのような氏の特徴を遺憾《いかん》なく発揮しているのが「夫婦の休日」（『壜詰《びんづめ》の恋』講談社文庫）という短編ではないでしょうか。妻は実在しない子供をあたかも実在するかのように生きており、夫は、休日に愛人に会うことばかり考えているが、実は彼女も幻想の女であることが最後の一行で読者に明かされる話です。著者は「あとがき」で「作中の夫婦に限らず夫婦とは、おたがいにこうした不可侵の領域を持ったまま暮らしているのではないか」と述べています。この作品のすごさは、それに触れることで、読者が夫婦というものを新しい目でみるようになることにあるようです。この「夫婦の休日」は、氏らしいブラック・ユーモアが効いていて、エンターテインメント的であるとともに、「夫婦はいかにあるべきか」という人生論的要素を担《にな》っています。

そのように両刀使いである阿刀田さんが、「いかに生きるべきか」に本質的に関《かか》わる聖書に阿刀田流に体当たりした『旧約聖書を知っていますか』と『新約聖書を知っていますか』が出版されたことは、意味ぶかいことです。ところで、信仰の書である『新約聖書』を日本の一般の読者に紹介することは、「信仰を持っていない」と言われる氏にとって、骨身をけずる仕事であったことでしょう。途中で断念しかけたと告白しておられます。十年の年月をかけ、多くの解説書研究書に目を通し、関係の土地を訪れて綿密に準備をととのえ、執筆されたようです。

『新約聖書を知っていますか』は、読者の心を初めから終わりまでつかんではなさない本です。著者が全身全霊をイエスにぶっつけて、正直に自分の反応を記しているからです。人間でありながら神の子であり、奇跡をおこない、十字架にかかり、復活したという信じがたい話に、氏は戸惑いを隠しません。それゆえ読者は、「そうだ、そうだ。私もそこにつまずく。そのように不可思議なことは信じられない」とうなずくでしょう。氏は、推理作家の目で復活を解釈していますが、復活ということが「まさしく信教の存亡にかかわる重大事であった」ことを理解しています。信仰がなければ復活は信じられない、しかし教団にとって復活がいかに生命に関わることであったかを認めています。

信徒である私は、イエスの降誕、十字架や復活などについて氏と意見が違うのは当然です。しかしこの本によって教えられる大事なことがあります。信仰を持たない裸の目で聖書を読むとき、いかに信じがたいことがそこに満ちているか、また何がどのように信じがたいかを教えられるということです。

ところで、著者の阿刀田さんは、なんとイエスに惹《ひ》かれていることでしょうか！「ゲッセマネのイエスが一番好きである」（一八〇頁）という氏が描くイエスのゲッセマネの園における苦悩の姿を読みながら、私は落涙寸前……でした。信仰を持っている人が書いたイエスに関するものを読んでいて胸が迫るということは余りないのですから不思議です。著者自身の心がイエスの苦悶《くもん》に深い共感をもち、イエスにたいする愛にあふれていたからでしょう。

氏が「一番好き」というとき、氏は、掛け値なしにこの「好き」という言葉を用いています。私は氏の「優しさ」に彼の文学の秘密が隠されているのではないか、と書きましたが、阿刀田さんの優しさと愛の深さは、イエスを裏切って悲しむペテロにも向けられています。「ペテロは……自分の心の弱さを嘆いて激しく泣いた。泣いて、

泣いて、泣き続けた（傍点大塚）」（一三五頁）と、「泣く」という動詞を四回も繰り返しています。

もう一ヶ所、動詞を三回リピートしているところがあります。「……どの道、神がいかなるものかなど人間にわかることではないし、こざかしい疑問を抱くより、ただひたすらに信ずるほうが肝要である。なにしろ相手は人間を愛して、愛して、愛してやまない神なのだから……（傍点大塚）」（一六四頁）

神が人間を愛すると三度も繰り返しているということは、神の愛を感じている人でなければ書けないことです。「いつか私も信仰を持つ日があるかもしれない」と、ちらりと心のなかを見せている氏は、夫人が洗礼を受けた「信仰を持つ者」であると本書の最後に書き、「妻からの助言はいつもに増して大きいものであった」と感謝を記しています。慶子夫人は、二年にわたって私の聖書のクラスに熱心に出席されたのですが、それは旧約聖書と新約聖書について書く準備をされていた阿刀田さんを助けるためでもあったようです。お二人は、牧師の司式で結婚式をあげられたとのこと。それ以来、夫人は、愛情をもって阿刀田さんの仕事を見守ってこられ、取材旅行にはいつもつきそって行かれます。

高村光太郎は、「智恵子《ちえこ》の半生」に、芸術が生まれるためには、「必ずそこに大きな愛のやりとりがいる……実に一人の女性の底ぬけの純愛である事があるのである。自分が作ったものを熱愛の眼《め》で以《もつ》て見てくれる一人の人があるという意識ほど、美術家にとって力となるものはない」(『智恵子抄』新潮文庫)と書いています。慶子夫人も、「熱愛の眼」で阿刀田さんの作品を見ておられるようです。

(平成八年九月、元恵泉女学園大学教授)

この作品は平成五年十一月新潮社より刊行された。

今野敏著

リオ

―警視庁強行犯係・樋口顕―

捜査本部は間違っている！ 火曜日の連続殺人を捜査する樋口警部補。彼の直感がそう告げた。刑事たちの真実を描く本格警察小説。

今野敏著

朱夏

―警視庁強行犯係・樋口顕―

妻が失踪した。樋口警部補は、所轄の氏家とともに非公式の捜査を始める。鍛えられた男たちの眼に映った誘拐容疑者、だが彼は――。

今野敏著

隠蔽捜査

吉川英治文学新人賞受賞

東大卒、警視長、竜崎伸也。ただのキャリアではない。彼は信じる正義のため、警察組織という迷宮に挑む。ミステリ史に輝く長篇。

今野敏著

ビート

―警視庁強行犯係・樋口顕―

島崎刑事の苦悩に樋口は気づいた。島崎は実の息子を殺人犯だと疑っているのだ。捜査官と家庭人の間で揺れる男たち。本格警察小説。

今野敏著

果断

―隠蔽捜査2―

山本周五郎賞・日本推理作家協会賞受賞

本庁から大森署署長へと左遷されたキャリア、竜崎伸也。着任早々、彼は拳銃犯立てこもり事件に直面する。これが本物の警察小説だ！

今野敏著

疑心

―隠蔽捜査3―

来日するアメリカ大統領へのテロ計画が発覚！ 羽田を含む第二方面警備本部を任された大森署署長竜崎伸也は、難局に立ち向かう。

北村　薫著

飲めば都

本に酔い、酒に酔う文芸編集者「都」の恋の行方は？　本好き、酒好き女子必読、酔っぱらい体験もリアルな、ワーキングガール小説。

小川洋子著

薬指の標本

標本室で働くわたしが、彼にプレゼントされた靴はあまりにもぴったりで……。恋愛の痛みと恍惚を透明感漂う文章で描く珠玉の二篇。

小川洋子著

博士の愛した数式

本屋大賞・読売文学賞受賞

80分しか記憶が続かない数学者と、家政婦とその息子――第1回本屋大賞に輝く、あまりに切なく暖かい奇跡の物語。待望の文庫化！

小川洋子著

海

「今は失われてしまった何か」への尽きない愛情を表す小川洋子の真髄。静謐で妖しく、ちょっと奇妙な七編。著者インタビュー併録。

小川洋子著

博士の本棚

『アンネの日記』に触発され作家を志した著者の、本への愛情がひしひしと伝わるエッセイ集。他に『博士の愛した数式』誕生秘話等。

小川洋子著

まぶた

15歳のわたしが男の部屋で感じる奇妙な視線の持ち主は？　現実と悪夢の間を揺れ動く不思議なリアリティで、読者の心をつかむ8編。

白川　道著　海は涸いていた

裏社会に生きる兄と天才的ヴァイオリニストの妹。そして孤児院時代の仲間たち——。男は愛する者たちを守るため、最後の賭に出た。

白川　道著　終　着　駅

〈死神〉と恐れられたアウトロー、視力を失いながら健気に生きる娘。命を賭けた恋が始まる。『天国への階段』を越えた純愛巨編！

網野善彦著　歴史を考えるヒント

日本、百姓、金融……。歴史の中の日本語は、現代の意味とはまるで異なっていた！　あなたの認識を一変させる「本当の日本史」。

帚木蓬生著　白い夏の墓標

アメリカ留学中の細菌学者の死の謎は真夏のパリから残雪のピレネーへ、そして二十数年前の仙台へ遡る……抒情と戦慄のサスペンス。

帚木蓬生著　三たびの海峡
吉川英治文学新人賞受賞

三たびに亙って〝海峡〟を越えた男の生涯と、日韓近代史の深部に埋もれていた悲劇を誠実に重ねて描く。山本賞作家の長編小説。

帚木蓬生著　ヒトラーの防具（上・下）

日本からナチスドイツへ贈られていた剣道の防具。この意外な贈り物の陰には、戦争に運命を弄ばれた男の驚くべき人生があった！

新約聖書《しんやくせいしょ》を知《し》っていますか

新潮文庫　あ－７－21

平成 八 年十二月 一 日 発 行
平成二十三年 三 月二十五日 二十一刷改版
令和 三 年 九 月二十五日 二 十 九 刷

著者 阿《あ》刀《とう》田《だ》高《たかし》

発行者 佐藤隆信
発行所 株式会社 新潮社
郵便番号 一六二―八七一一
東京都新宿区矢来町七一
電話 編集部(〇三)三二六六―五四四〇
読者係(〇三)三二六六―五一一一
http://www.shinchosha.co.jp

価格はカバーに表示してあります。

乱丁・落丁本は、ご面倒ですが小社読者係宛ご送付ください。送料小社負担にてお取替えいたします。

印刷・大日本印刷株式会社　製本・加藤製本株式会社

ISBN978-4-10-125521-7 C0116